JN099718

図解ポケット

次世代AIサービ

画像生

AIが

仕組みを
ざっくり
理解!

よくわか

TANAKA Hideya　　MATSUMURA Y
田中 秀弥 著　**松村 雄**

●注
(1)
(2) 記
(3) 任
(4) と
(5) 本

はじめに

　本書は、2022年頃から話題になっている画像生成AIについて、初心者の方でも基本的な理解や知識が得られるような入門書となっています。

　画像生成AIは、ユーザーが生成したい画像のイメージを、テキストや参照画像で指示すると、そのイメージに沿った画像を自動で生成してくれるAIです。代表的なツールにはStable DiffusionやMidjourneyなどが挙げられますが、他にも様々なツールが次々と登場しています。実用的かつクリエイティブなアウトプットを生み出す画像生成AIは、人間の創造性を補完して、生産性を高める手段として期待される一方で、アーティストやイラストレーターの存在を脅かすのではないかと懸念する声も高まっています。さらに、学習用のデータセットやAIが生成した画像に関連する著作権の問題も大きな議論点となっており、法律的な観点からも注目を集めています。

　本書の前半では、画像生成AIの全体像をわかりやすく理解できるように、画像生成AIの歴史、技術的な仕組みと使い方、著作権に関する議論についての説明から始めていきます。次に、画像生成AIがビジネスの分野でどのように活用され始めているのかの事例に触れた上で、前述のStable DiffusionやMidjourneyといった個別のサービスの概要とその特徴について紹介していきます。

しかし、画像生成AIはジェネレーティブAI（生成AI）と呼ばれる次世代AIの一分野であり、画像生成AIだけに注目してしまうと、このトレンドの全容を把握することができません。このジェネレーティブAIに取り組む企業の価値は執筆時点で約480億ドル（約6.5兆円）と2年で6倍に拡大しているともいわれ、飛躍的な成長を見せています。そこで、本書の後半ではジェネレーティブAIにも触れていき、AIが画像だけでなく、動画、文章、音声、コード・プログラムに至るまで幅広いコンテンツを生み出すことで、様々な産業に大きな影響を与え始めている現状について解説しています。

　AI研究の世界的権威であるレイ・カーツワイル氏は、シンギュラリティ（技術的特異点：AIが人間の知能を大幅に凌駕する時点）が2045年に来るだろうと予測していますが、画像生成AIやジェネレーティブAIの登場によって、この予測がますます現実味を帯びてきているように感じます。

　AIが凄まじい進化を遂げる中で、私たちはどのようにAIと共存して、より豊かな社会をつくっていくことができるのでしょうか？本書を手に取っていただいた皆様には、ぜひ、画像生成AIやジェネレーティブAIが持つ可能性をお伝えできたら光栄です。

2023年5月

田中秀弥

図解ポケット
画像生成AIがよくわかる本

CONTENTS

6 ジェネレーティブAIのこれから

MEMO

CHAPTER

1

画像生成AIのキホン

　このチャプターでは、画像生成AIとは何かについて、その
進化の歴史や画像生成AIが注目されている背景を解説してい
きます。

ジェネレーティブ AI とは？

画像生成AIは、ジェネレーティブAIと呼ばれる次世代AI技術の1つとして注目されています。ここでは、まずジェネレーティブAIとは何かについて紹介していきます。

1 ジェネレーティブ AI（生成 AI）とは

ジェネレーティブ AI（Generative AI）という言葉が最近注目を集めています。**生成 AI** とも呼ばれ、米国の IT アドバイザリー企業である Gartner が2022年の「戦略的テクノロジーのトップ・トレンド」の中で注目すべきキーワードに挙げています。ジェネレーティブ AI とは、「コンテンツやモノについてサンプルデータから学習し、それを使用して創造的かつ現実的な新しい生成物を生み出す機械学習手法」と定義されています。この AI で生み出すことができる生成物は、画像、動画、文章、音声、3D モデルに至るまで多岐に及ぶため、ライフサイエンス、ヘルスケア、製造、材料科学、メディア、エンターテイメント、自動車、航空宇宙、防衛、エネルギーなどの様々な分野での活躍が期待されています。

Gartner では、2025年までにジェネレーティブ AI は全データの10%（現在は1% 未満）を生成するようになると予測しています。また、調査会社の Grand View Research によると、ジェネレーティブ AI のグローバルでの市場は2022年から2030年にかけて年平均34.6% で拡大し、2030年までに1,093億7,000万ドルに達すると予想されます。

2 従来のAIとジェネレーティブAIの違い

　産業技術総合研究所では、従来のAIはすでにある大量のデータから特徴を学んで、ある事象の予測をすることだと説明しています。AIの1つの領域である機械学習は、コンピューターが大量のデータを学習することで、そのデータのルールやパターンを抽出する技術で、得られた結果をもとに分類や予測などのタスクを遂行することができます。例えば、犬と猫の写真を大量にインプットして、その違いを識別するといったことが可能です。

　一方で、ジェネレーティブAIは、データのルールやパターンの抽出だけにとどまらず、それらのデータを利用してより創造的で質の高いオリジナルのコンテンツを自ら出力できるという異なる特性を持ちます。そのため、ジェネレーティブAIをうまく活用すれば、あらゆるコンテンツの制作、分析、研究、探索にかかるコストや時間を大幅に削減できる可能性があります。

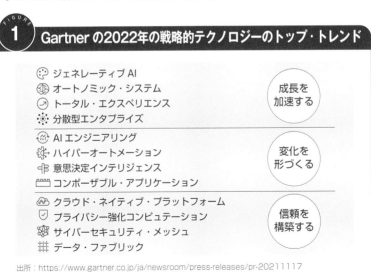

FIGURE 1　Gartnerの2022年の戦略的テクノロジーのトップ・トレンド

- ジェネレーティブAI
- オートノミック・システム
- トータル・エクスペリエンス
- 分散型エンタプライズ

成長を加速する

- AIエンジニアリング
- ハイパーオートメーション
- 意思決定インテリジェンス
- コンポーザブル・アプリケーション

変化を形づくる

- クラウド・ネイティブ・プラットフォーム
- プライバシー強化コンピュテーション
- サイバーセキュリティ・メッシュ
- データ・ファブリック

信頼を構築する

出所：https://www.gartner.co.jp/ja/newsroom/press-releases/pr-20211117

2 従来の AI（機械学習の場合）

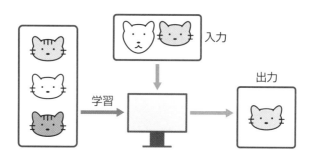

①コンピューターに「猫」を分類できるよう学習させる（ルールやパターンの抽出）

②コンピューターに「猫」と「犬」の写真を読み込ませる。（入力）

③「猫」の写真だけ選ぶ（出力）

出所：https://ledge.ai/machine-learning/

3 ジェネレーティブ AI（画像生成 AI の場合）

インターネット上の絵や写真

キーワード入力　　　　　学習した AI　　　　　AI による画像

①インターネット上にある膨大な数の絵や写真などの画像を学習する

②学習した AI が、人間が入力したキーワードに沿ったオリジナルの画像を生成する

出所：https://www3.nhk.or.jp/news/html/20221008/k10013851401000.html

ジェネレーティブ AI の活用

ジェネレーティブAIは、人間の指示に従ってテキスト、コード、画像、音声、動画、3Dモデルなどを生成することができます。ここでは、その具体的なユースケースを紹介していきます。

1 ジェネレーティブ AI のアプリケーション

米国のベンチャーキャピタルである Sequoia Capital では、ジェネレーティブ AI の具体的なアプリケーションとして次の8つを紹介しています。これらの中には、すでに世の中で実装されているものと今後実装が期待されているものが含まれます。

①**コピーライティング**：営業、マーケティング、カスタマーサポートなどで使われるパーソナライズされたウェブサイトやメールのコンテンツ（短い文章や定型文）の生成

②**産業に特化したライティングアシスタント**：法律上の契約書から脚本など、特定の産業分野に特化した文書の生成

③**プログラムコード**：GitHub Copilot（プログラマーが書きたいコードを AI が推測して自動的に補完してくれるサービス）のようなサービスの発展形としての、一般ユーザーのプログラミングへのアクセスを支援するコードの生成

④**アート**：芸術や文化の新しいテーマやスタイルを誰でも自由に探求できるようにする画像、映像、音声などの生成

⑤**ゲーム**：テクスチャ（3DCG において、立体物の質感を表現するために使われる画像）やスカイボックス（ゲームシーンにおける空）の生成、また自然言語を使った複雑なシーンやリギング（3D キャラクターを動かすための仕組みづくり）可能なモデルの生成

⑥**メディアと広告**：キャッチコピー、テキスト、画像、動画などを組み合わせたマルチモーダルなクリエイティブ（広告掲載するために制作された素材）の生成

⑦**デザイン**：労力のかかる反復プロセスである、デジタルおよび物理的な製品（スマホアプリやスニーカーなど）のプロトタイプ（試作品）の生成

⑧**ソーシャルメディアとデジタルコミュニティ**：画像生成 AI などのツールを通じた新しい表現方法や新しい社会体験の創出

FIGURE 4　Sequoia Capital が予想するジェネレーティブ AI のロードマップ

	~2020	2020	2022	2023?	2025?	2030?
テキスト	スパムの検出 翻訳 基本的なQ&A	基本的なコピーライティング 草案の生成	長文の生成 第二稿レベルの生成	産業や分野ごとへのカスタム（科学論文など）	平均的な人間より優れた最終稿を作成	プロのライターよりも優れた最終稿を作成
コード	1行の自動補完	複数行生成	長文の生成 精度の向上	多言語や他分野への対応	Text to product（ドラフト）	プロの開発者より優れた text to product（最終）
画像			アート ロゴ 写真	モックアップ（プロダクトデザイン、建築など）	最終案（プロダクトデザイン、建築など）	プロのアーティスト、デザイナー、写真家よりも優れた最終案
ビデオ／3D／ゲーム			初歩的な3D／動画モデルの生成	草案としての動画／3Dファイルの生成	第二稿レベルの生成	AI Roblox ビデオや映画のパーソナライズ

Large model availability　初期の試み　実現までのもう少し　公開に向けた準備作業の完了

FIGURE 5 ジェネレーティブAIのカテゴリーと主なスタートアップ

テキスト

マーケティング
copy.ai Jasper Writesonic
Ponzu frase copysmith
Mutiny Moonbeam Bertha.ai
anyword Hypotenuse AI
Clickable letterdrop Simplified
Peppertype.ai Omneky CONTENDA

ナレッジ
glean
Mem
YOU

ライティング
Rytr wordtune Subtxt
LEX sudowrite LAIKA
NovelAI WRITER
COMPOSE AI
OTHERSIDEAI

AIアシスタント
Andi
Quickchat

セールス
LAVENDER
Smartwriter.ai
Twain
Outplay
Reach
regire.ai
Creatext

サポート（チャット／メール）
Cohere
KAIZAN
Typewise
CRESTA
XOKind

その他
AI Dungeon
Keys
charaster.ai

動画

編集／生成
runway
Fliki
Dubverse
Opus

パーソナライズド・ビデオ
tavus
synthesia
HourOne.
Rephrase.ai
Colossyan
HeyGen

画像

画像生成
Midjourney OpenArt
craiyon PLAYGROUND
WOMBO.AI PhotoRoom
ROSEBUD.AI alpaca
Lexica mage.space
Nyx.gallery
KREA artbreeder

コンシューマー／ソーシャル
Midjourney

メディア／広告
SALT
THE CULTURE DAO

デザイン
Diagram uizard
VIZCOM Aragon
Poly maket
INTERIOR AI
CALA

コード

コード生成
GitHub
Copilot
Replit
tabnine
mutable.ai

Text to SQL
AI2sql
seek

ウェブアプリ設計
Debuild
Enzyme
durable

ドキュメンテーション
Mintlify
Stenography

その他
Excelformula bot

音声

音声合成
RESEMBLE.AI broadn
WELLSAID coqui
podcast.ai
descript overdub
Fliki Listnr
REPLICA VOICEMOD

3D

3Dモデル／シーン
mirage CSM

その他

音楽
SPLASH Mubert
AIVA Endel boomy
Harmonai Sonify

ゲーム
AI Dungeon

RPA
Adept
maya

AIキャラクター／アバター
character.ai
Inworld
The Simmulation
OASIS

バイオロジー／科学
Cradle

Vertical Apps
Harvey

すでに多くのスタートアップ企業がジェネレーティブAIを使ったサービスの開発に取り組んでいます。なお、この図は2022年10月末に制作されたものです。

出所：https://twitter.com/sonyatweetybird/status/1584580362339962880

画像生成 AI とは？

ここからは、本書のテーマである画像生成AIについて詳しく解説していきます。まずは画像生成AIの定義や基本的な仕組みについて説明していきます。

1 画像生成 AI とは

　画像生成 AI とは、ユーザーが生成したい画像のイメージをテキスト（単語や文章）や、参照画像を入力して指示することで、そのイメージに沿った画像を生成してくれる AI です。生成される画像は、写実的なものから油絵風、アニメ風のものまで幅広く、画風や色味などもテキストで指示を出すことができます。画像生成 AI で生成された画像のクオリティは非常に高く、AI が描いたのか人間が描いたのか判別できないレベルになってきています。

　右図の2枚の絵を見てみてください。左側の絵は、オランダのポスト印象派の画家であるゴッホが描いた自画像です。そして、右側の絵は、著者が Stable Diffusion という画像生成 AI を使って生成した画像です。絵画に精通した人でなければ初見では見分けがつかない仕上がりになっています。右側の画像を作成した際には、Stable Diffusion に「self-portrait, a painting by Vincent van Gogh」（自画像、ゴッホの絵）というテキストを入力するだけで生成することができました。この画像生成 AI に与える指示内容は、「プロンプト」と呼ばれ、このプロンプトをうまく操ることでイメージにより近い画像を生成できます。

2 **2022年は画像生成 AI 元年**

　2022年は画像生成 AI の元年ともいわれ、様々な画像生成 AI の
サービスが一般ユーザーに公開されました。代表的なサービスには、
OpenAI が2022年4月に発表した「**DALL・E 2**」や、同年6月に
Midjourney が発表した「**Midjourney**」、さらに Stability AI が同
年8月に発表した「**Stable Diffusion**」があります。Stable
Diffusion については、無料で一般公開されているだけでなく、ソー
スコードもオープンになっています。Bloomberg によると、
2022年10月時点での1日あたりの利用者数は1,000万人に上る
とされ、大きな人気を博しています。それぞれのサービスの特徴や
使い方については、CHAPTER 5で紹介していきます。

6 **ゴッホの絵（左側）と画像生成 AI で作成した絵（右側）**

AIが描いたか
人が描いたか
判断できない
レベルに。

出所：http://artmatome.com/ 『グレーのフェルト帽の自画像』ゴッホ /
出所：https://replicate.com/stability-ai/stable-diffusion

FIGURE 7

2022年前後に発表された主な画像生成 AI

サービス	開発者	発表時期	国
Dream	WOMBO	2021年11月	カナダ
DALL・E 2	OpenAI	2022年4月	米国
Imagen	Google	2022年5月	米国
Parti		2022年6月	
Midjourney	Midjourney	2022年7月	米国
Stable Diffusion	Stability AI	2022年8月	英国
mimic	RADIUS5	2022年8月	日本
ERNIE-ViLG	Baidu	2022年8月	中国
お絵描きばりぐっどくん	西海クリエイティブカンパニー	2022年8月	日本
AIピカソ	AldeaLab	2022年8月	日本
にじジャーニー	Midjourney & Spellbrush	2022年9月	米国
NovelAI	Anlatan	2022年10月（画像生成機能）	米国
Muse	Google	2023年1月	米国

※ Google のサービスは一般向けにはリリースされていません

多くの画像生成AIは米国で誕生しており、それらをもとにしたサービスが日本で誕生しています。

画像生成 AI の歴史①

画像生成AIは、これまで継続的に研究や開発が進められてきました。ここでは、現在に至るまでの画像生成AIの変遷を、AIの発展の歴史とともに簡単に振り返ります。

1 GAN（敵対的生成ネットワーク）の登場

画像生成 AI のルーツは、1973年にハロルド・コーエン氏というアーティストが、自ら設計した厳格なルールに基づいて絵を描くことができる **AARON** というプログラムを開発したことにまで遡ります。しかし、AARON は現在の技術レベルから見ると粗末なもので、画像生成 AI の性能が大幅に向上したのはつい最近です。

革新的だったのは2014年に発表された **GAN** *という AI アルゴリズムで、日本語では敵対的生成ネットワークと訳されます。機械学習の研究者であるイアン・グッドフェロー氏が開発した GAN は、ディープラーニング（人間の力なしにコンピューターが自動的に大量のデータからそのデータの特徴を導き出す技術）の応用技術です。

GAN は、**Generator**（**生成ネットワーク**）と **Discriminator**（**識別ネットワーク**）と呼ばれる2つのネットワークを使用します。Generator は偽物のデータを作り出し、Discriminator には偽物のデータと本物のデータが与えられ、その真偽を判定します。この流れを繰り返すことで、Generator は本物のデータに近い偽物データを生成できるようになります。

＊ **GAN** Generative Adversarial Network の略。

2 GANを活用した高度な画像生成

2014年以降、GANは多くの開発者の研究対象となり、2015年には、DCGAN *と呼ばれるより鮮明で、リアリティのある画像を生成ができるモデルが考案されました。また、2017年には、CycleGANと呼ばれる画像のスタイル変換を得意とするモデルが開発されました。

そして、半導体メーカーであるNVIDIAの研究チームが2018年に発表したStyleGANは、段階的に解像度を上げていくことができる画像生成モデルです。StyleGANでは、そばかすや髪などの細かいデータの生成や変換が可能で、本物と見分けがつかないよりリアルな画像生成ができます（StyleGANはその後、StyleGAN2、StyleGAN2-ADA、StyleGAN3とバージョンが更新され、生成画像の時間的一貫性などが改善されています）。

このように、GANの発展形が多く登場したことによって、様々な形での画像生成が可能になっています。例えば、ピンボケした写真や昔の写真の解像度を上げたり、複数の顔の画像を取り入れることで、実際には存在しない人の画像を作ったり、絵の特徴を書いた文章から画像を生成したり、オリジナルの画像から雰囲気の異なる別の画像を作ったりできます。

＊ **DCGAN**　Deep Convolutional GAN の略。

FIGURE 8 GAN（敵対的生成ネットワーク）の仕組み

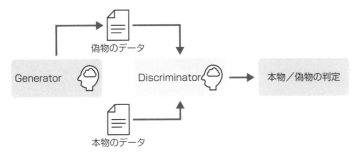

「Generator（生成するネットワーク）」と「Discriminator（真偽を判定するネットワーク）」が競い合うことで学習するため、「敵対的」といわれます。

出所：https://www.eaglys.co.jp/news/column/gan/

FIGURE 9 StyleGAN が生成した本物そっくりの画像

まるで実際に
存在する本物の
人間のように
見えます。

右に示す画像は一見写真のように見えますが、実際はすべてStyleGANによって生み出された存在しない人物の画像です。

出所：https://commons.wikimedia.org/wiki/File：StyleGAN.png ? uselang=ja

画像生成 AI の歴史②

ここ数年のAIの進歩は凄まじく、GPT-3やCLIPと呼ばれるモデルを採用したDELL・Eや、その改良版で拡散モデルを採用したDALL・E 2が登場しました。

1 言語モデル GPT-3の画像生成への応用

AI の研究開発企業である OpenAI は、2020年7月に大規模言語モデルの **GPT-3*** を発表しました。GPT-3は、**Transformer** と呼ばれる言語モデル（もともとは Google が機械翻訳のために開発した自己注意機構と呼ばれる仕組みで、データのどこに着目すべきかを、データの種類や内容に応じて変化させる）を用いており、まるで人間が書いたような自然な文章を作成できることが特徴です。そして2021年1月に、OpenAI は GPT-3を応用して、入力した文章に沿った画像を出力してくれる AI の DALL・E を開発しました。

DALL・E では、例えば「an armchair in the shape of an avocado」（アボカドの形をした肘掛け椅子）というプロンプトを与えると、右図のような現実の世界には存在しないオブジェクトの画像が生成されます。この画像生成 AI を支えるもう1つの要素が、**CLIP*** と呼ばれる画像分類モデルです。CLIP は、インターネット上で収集した画像とその画像を説明するテキストを学習に用いており、ある画像に対して、その説明文がどの程度あっているか（画像とテキストの類似度）を推定することができます。

---

* **GPT-3**　Generative Pretrained Transformer の略。
* **CLIP**　Contrastive Language-Image Pre-training の略。

2 GAN を超える画像生成を可能にする拡散モデル

2022年4月に、OpenAI は DELL・E の言語解釈能力と生成画像の品質をさらに高めた DALL・E 2を発表しました。DALL・E 2には、**Diffusion Model**（**拡散モデル**）が使われています。拡散モデルとは、画像の修正を段階的に行うことで画像を生成するモデルで、前述した GAN よりも高精度で、指示した画風やコンセプトにより忠実な画像を生成することができます。2022年5月には Google の研究部門である Google Research も拡散モデルを採用した画像生成 AI の **Imagen** を発表しています。また、Google は同年6月には **Parti** という画像生成 AI（拡散モデルでなく自己回帰モデルと GAN を採用）、2023年1月には、量子化された画像トークンを用いることで、従来のモデルよりも大幅に効率化を実現した Muse と呼ばれる画像生成 AI を次々に発表しています。

FIGURE 10 DALL・E で生成した空想のオブジェクト

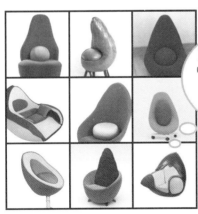

「an armchair in the shape of an abocado」（アボカドの形をした肘掛け椅子）というプロンプトを与えた結果、生成された画像。

出所：https://openai.com/blog/dall-e/

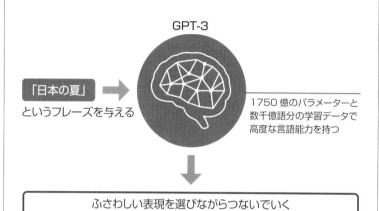

GPT-3

「日本の夏」 というフレーズを与える

1750億のパラメーターと 数千億語分の学習データで 高度な言語能力を持つ

ふさわしい表現を選びながらつないでいく

日本の夏は暑い	温暖化の影響も深刻だ	人々はうんざりしている
日本の夏は涼しい	温暖化の影響はない	人々は喜んでいる
日本の夏は長い	温暖化の影響は怖い	人々は悲しんでいる

日本の夏は暑い。温暖化の影響も深刻だ。人々はうんざりしている…

と文章を作成

（注）実際には単語レベルで次の言葉を細かく予測しながら文章を作っていく

　OpenAIは、2023年3月にGPT-3に比べて大幅に性能を向上させたマルチモーダル大規模言語モデルのGPT-4を公開しています。

出所：https://www.nikkei.com/article/DGXZQOUC1241A0S1A410C2000000/

画像生成 AI の歴史③

MidjourneyやStable Diffusionと呼ばれる画像生成AIが一般向けに提供されたことで、画像生成AIの流れが大きく加速しました。

1 一般向けに提供された Midjourney

2022年7月には、米国の AI 企業の Midjourney が開発した画像生成 AI の Midjourney のオープンベータ版が公開されました。Midjourney は、生成可能な枚数に上限があるものの、誰でも無料で使い始められるため、世界中で人気を呼び、画像生成 AI のブームを引き起こしました（執筆時点では無料トライアルは一時停止中です）。また、サイバーパンクやリアルファンタジー系などのダイナミックで、現代人の好みに合ったテイストの画像を生成できることも人気の理由といわれています。

2 オープンソースの画像生成 AI である Stable Diffusion

2022年8月には英国の AI 企業である Stability AI が画像生成 AI である Stable Diffusion を**オープンソース**（ソフトウェアを構成しているプログラムであるソースコードを無償で一般公開すること）で公開しました。Stable Diffusion は、ソースコードから学習済みの機械学習モデルまで公開されている点が画期的で、世界中の誰もが画像生成 AI にアクセスできるようになりました。実際、Stable Diffusion が公開されると、このモデルを組み込んだ新しいサービスやアプリケーションが次々と実装されています。

これまで紹介してきた DALL・E 2を開発した OpenAI や Imagen を開発した Google は、社会への影響力が大きすぎるということで、自社の画像生成 AI のユーザーへの公開方法を限定的にしています。一方で、Stability AI はこれまで限定的にしか開かれていなかった技術を解放して民主化したため、より大きな反響を呼んでいます。

❸ 画像生成 AI をめぐる論争

画像生成 AI の一般公開が進み、利用ユーザーが増えると、倫理的な課題や法律的な問題が浮き彫りとなってきました。具体的には、フェイク画像など倫理的に許容し難い画像の拡散や、画像生成 AI で生成した作品の著作権をめぐって、現在も議論が繰り広げられています。画像生成 AI をめぐる問題や課題については、CHAPTER 3で詳しく説明していきます。

FIGURE 12 オープンソースの考え方

オープンソースの概念をソースに例えると、

「ソース（商品）のレシピが公開されている」ということ。

A 社では、
レシピは秘密

B 社では、
レシピを公開

オープンソースの概念を調味料のソースに例えると、ソース（商品）のレシピが公開されているということです。オープンソースでは、世界中の誰もが、無料で自由にレシピを改良したり、アレンジソースとして再配布したりできるため、常に成長や進化を続けます。

出所：https://lpi.or.jp/about_lpi/opensource.shtml

画像生成AIと クリエイターエコノミー

画像生成AIが注目を集めている背景には、クリエイターエコノミーの台頭があります。画像生成AIによって、誰もが表現者になれるという流れが加速しています。

1 クリエイターエコノミーとは

クリエイターエコノミーとは、個人のクリエイターたちが自らの表現や情報発信によって収入を得ることで形成される主にインターネット上の経済圏のことを意味します。YouTube、TikTok、Instagram、Twitchなどのコンテンツ配信プラットフォームの普及によって、これまでは消費者でしかなかった個人が、**表現者（クリエイター）**となり、オンライン上で経済活動できる場が広がっています。また最近では、投げ銭システム（動画の配信者らにお礼の気持ちを込めてお金を送れるシステム）や、クリエイターやアーティストがファンやパトロン（支援者）から寄付を募ることができる**Patreon**などのサイトが登場するなど、クリエイターが直接収益を得られる新しい方法が生まれつつあります。実際、マーケティング企業のNeoReachの調査によると、2021年時点で世界のクリエイターエコノミーの市場規模は約1,042億ドル（約14兆円）に到達しています。

2 クリエイターエコノミーを加速させる画像生成AI

MidjourneyやStable Diffusionなどの画像生成AIを一般のユーザーが気軽に利用できるようになったことで、より多くの人々がクリエイターエコノミーに参加できるようになりました。

画像生成 AI は人間の創造性（クリエイティビティ）の領域を侵食して、クリエイターの仕事を奪うのではないかという不安も出てきていますが、逆に考えると、これまでデザインやアートに秀でた能力がなければできなかったことができるようになるため、誰もがクリエイターになれることを意味します。別の事例で考えてみると、いまではスマホのカメラ機能がかなり進化しており、素人でもプロ並みの写真を撮ることができるようになっています。しかし、それはプロの写真家という職業をなくすのではなく、一般の人がより簡単にクリエイティブなことに挑戦し、楽しむことができる機会を生み出しています。画像生成 AI は、このスマホカメラのようにより多くの人がクリエイティブなことや自己表現を行う場を広げるでしょう。

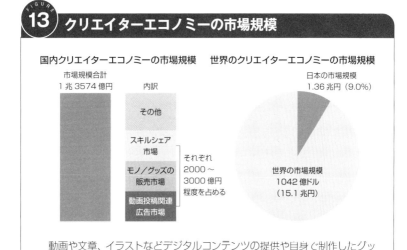

FIGURE 13　クリエイターエコノミーの市場規模

国内クリエイターエコノミーの市場規模

市場規模合計
1 兆 3574 億円

内訳
- その他
- スキルシェア市場
- モノ／グッズの販売市場
- 動画投稿関連広告市場

それぞれ 2000 ～ 3000 億円程度を占める

世界のクリエイターエコノミーの市場規模

日本の市場規模
1.36 兆円（9.0%）

世界の市場規模
1042 億ドル
（15.1 兆円）

　動画や文章、イラストなどデジタルコンテンツの提供や自身で制作したグッズやスキルの販売など、クリエイターの活躍の場が大きく広がっています。画像生成 AI は、このクリエイターエコノミーを加速させています。

出所：三菱 UFJ リサーチ＆コンサルティング
（https://prtimes.jp/main/html/rd/p/000000010.000082387.html）

14 クリエイターエコノミーの台頭

今後、人々は消費者であるだけでなく、
クリエイター（発信者・販売者・生産者）になる

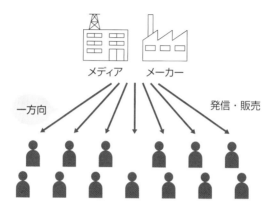

メディア　　メーカー

一方向　　　　　　　　　発信・販売

これまでの生産者と消費者の関係

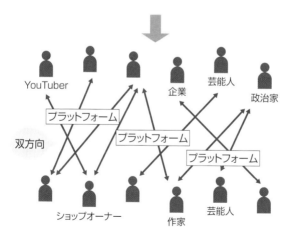

YouTuber　　　企業　芸能人　政治家

プラットフォーム

プラットフォーム

双方向　　　　　　　　　プラットフォーム

ショップオーナー　　作家　芸能人

クリエイターエコノミーでは
双方が発信者・販売者・生産者になる

画像生成 AI による生産性の向上

画像生成AIは、従来の画像検索を代替して、プレゼン資料作成にかかる時間を削減するなど、クリエイター以外の多くの人の働き方にも影響を与える可能性があります。

1 画像検索から画像生成へ

UI/UX デザイナーである深津貴之氏は、画像生成 AI がこれまでの画像検索の役割を代替する可能性があると示唆しています。例えば、これまではプレゼン資料に使用したい画像がある場合、多くの人は Google などの検索エンジンや、Unsplash などの**ストックフォトサイト***でイメージに合う画像を探しています。しかし、画像生成 AI の登場によって、今後は調べ物をする際の手段が、画像検索から画像生成にシフトする未来が考えられます。

また、Stability AI の創設者であるエマード・モスターク氏は、「PowerPoint を破壊したい。私たちが本気を出せば、数年後にはスライドを作る必要がなくなるかもしれない」と述べています。将来的には、プレゼン資料を作成する際、そのスライドで伝えたい内容の文章を AI に渡したら、それに適した図が生成されるといったことも実現するかもしれません。

***ストックフォトサイト**　写真や動画など、ウェブや印刷物に利用できるメディア素材を管理・販売しているサイト。Unsplash の他、Shutterstock や Getty Images などが有名。

2 Microsoft Designer と Image Creator

2022年10月に PowerPoint の開発元である Microsoft は、**Microsoft Designer** と呼ばれるグラフィックデザインアプリを発表しています。Microsoft は、DALL・E 2の開発元である OpenAI に巨額の投資を行っており、このアプリでは、生成したい画像のコンセプトを文字で入力すると、DALL・E 2のモデルがその画像を生成してくれます。生成された画像は、SNS 投稿のコンテンツやパンフレットなどのデザインに活用できます。

FIGURE 15 PowerPoint の作成には多くの時間がかかっている

1枚の資料作成にかかる時間

1時間以内 **60.4**% 　3時間以内 **33.5**%

1週間何枚の資料を作る?

1〜5枚 **56.2**% 　6〜10枚 **26.3**%

　NTT コム リサーチの「ビジネスマンの資料作成に関する調査」では、報告書や議事録、企画書、プレゼン資料作成に要する時間は、少ない人で1週間に5〜6時間、多い人で数十時間と報告しています。また、作成に手間のかかる企画書やプレゼン資料に限定すれば、少なめに見積もって1日に1〜2時間、1週間で5〜15時間程度を要しています。

出所：https://create.i-tem.net/pamphlet/ppt/ppt-temp/

さらに、Microsoftは独自の検索エンジンであるBingの追加機能であるImage Creatorを同時に発表しています。Image CreatorもDALL・E 2を利用した画像生成ツールです。例えば、欲しい画像があるときに検索エンジンにキーワードを入力して画像を探しても、イメージどおりの画像を見つけられない場合に、Image Creatorに短いテキストを入力することで、検索しても出てこない画像を新しく作成してくれます。

　画像生成AIを活用したMicrosoft DesignerやImage Creatorなどのツールは、多くの人々が時間を要しているPowerPointなどの資料やコンテンツ作成の効率化を支援し、私たちの生産性をさらに高めてくれると期待されています。

FIGURE
16　Microsoft Designer

　Microsoft Designerは米国ではプレビュー版を利用可能です。それ以外の地域ではウェイティングリストに登録できます。Image Creatorは一部の地域で限定プレビューを開始しています（執筆時点）。

出所：https://designer.microsoft.com/

対話型 AI チャットボットの ChatGPT

画像生成AIと同時期に注目を集めたのが、対話型AIチャットボットのChatGPTです。このAIは、ユーザーが質問を入力すると自動で文章を生成して回答してくれます。

1 ChatGPT とは

ChatGPT は、2022年11月に OpenAI が公開した対話型の AI チャットボットです。この AI は、同社が開発した画像生成 AI の DALL・E 2で使われている大規模言語モデルの GPT-3の改良版である GPT-3.5 モデルに基づいています。

ChatGPT は、大量のテキストを取り込み、人間が書くような抽象的・口語的表現を含めた文章を生成することが可能で、ユーザーが質問したいトピックを入力すると、まるで人間のようなスムーズな受け答えをしてくれます。例えば、「ChatGPT について教えてください」と質問をすると、図のような回答を自動で生成します。また、「〜とは何ですか？」といった質疑応答の他にも、準備物やタスクのリスト化（例：アメリカに入国する際の準備リスト）、おすすめの提示（例：東京観光のおすすめスポット）、文章のチェック、（例：ブログ記事や長文の推敲）、エッセイやプログラミングコードの作成（例：関数の作成）といった使い方が可能です。執筆時点では、ChatGPT は誰でも無料で利用可能です。ただし、ChatGPT はリサーチプレビューと呼ばれる段階であり、内容によって間違いがあったり、意味が通らない回答になったりすることがある点には注意が必要です。

② ChatGPT は検索エンジンの代替になりうるのか

ChatGPT によって、インターネット検索の常識が変わるかもしれません。Google などの検索エンジンを使って調べものをする場合は、欲しい情報にたどり着くまでに複数のサイトを訪問しなければいけないこともあります。しかし ChatGPT では、質問文を投げかけるだけで必要な情報を即座に教えてくれます。実際に、Google は ChatGPT を深刻な脅威と認識しており、Google の検索ビジネスを根底から覆しかねないと危惧しています。

さらに、Microsoft では、2023年2月に ChatGPT の技術を搭載した検索エンジンの Bing を発表しています。ただし、AI の言語モデルは人間が理解できる複雑性や抽象性からではなく、学習データの統計ルールから知識を得ているため、ChatGPT が提供できる情報には限界があるという見方もあります。また、学習データとなるインターネット上にある情報は、すべて正しいとはいえないため、ChatGPT の回答を鵜呑みにするのではなく、自分で情報や内容を判断することが大切になってきます。

③ ChatGPT の規制

ChatGPT を規制する動きも出てきています。例えば、2023年3月末にイタリアのデータ保護当局は、ChatGPT による膨大なデータの収集が、個人情報保護法に違反する疑いがあるとして、同国内での ChatGPT の使用を一時的に禁止しました。また、銀行などの機密性の高い情報を扱う企業も、ビジネス上での ChatGPT の使用に制限をかけています。このように、ChatGPT はプライバシーやデータ侵害に関するリスクが懸念されており、今後の成長に大きな影響を与えると予測されています。

FIGURE 17 「ChatGPT について教えてください」と質問する

 ChatGPTについて教えてください。

> 人間のようにスムーズに
> 受け答えしてくれます。

 ChatGPTは、OpenAIが開発した大規模な自然言語処理モデルの1つです。GPTは「Generative Pre-trained Transformer」の略であり、Transformerという機械学習の手法を用いており、事前学習されたモデルをもとに、テキスト生成、質問応答、文章要約など、様々な自然言語処理タスクを行うことができます。

ChatGPTは、特に対話システムの構築に適したモデルとして注目されています。過去の対話ログなどから学習した知識をベースに、自然言語での会話を行うことができます。また、一度学習を済ませたモデルをFine-tuningすることで、特定のタスクに特化したモデルを作ることもできます。

最新のChatGPTは、GPT-3という名称で知られ、1750億個のパラメータを持つ、過去最大規模のモデルとなっています。このモデルは、様々な言語処理タスクで従来の手法を超える精度を示し、現在では多くの企業や研究機関によって利用されています。

FIGURE 18 ChatGPT でできること

情報検索	文章の要約	文章の添削	作業の管理
スケジュール作成	翻訳	小説作成	歌詞作成
お悩み相談	プログラミング	口調の変更	

「自分の間違いを認める」「不適切な質問の拒否」も可能

出所：https://news.goo.ne.jp/article/abematimes/trend/abematimes-10063842.html

Column

画像生成 AI から考える創造性

　2022年9月に米国コロラド州で開かれたアートコンテストで、「Theatre D'opera Spatial」という題名の絵画がデジタルアート部門最優秀賞を受賞しました。この作品は、ジェイソン・アレン氏が出品したものでしたが、同氏はこの作品が画像生成AIのMidjourneyを使って作成されたものだと受賞決定後に明かしました。この出来事に対して、SNSでは「クリエイティブな仕事が機械に置き換えられる」、「芸術の死を意味する」といった声が上がった一方で、AIが持つ創造性への称賛も集まりました。

　そもそも創造性や芸術とは何なのでしょうか？　日本大百科全書によると、創造性とは、「新奇で独自かつ生産的な発想を考え出すこと、またはその能力」と定義されています。では、ジェイソン・アレン氏は創造性という人間の思考や能力を、画像生成AIにすべて代替させたのかというと、実際のところはそうではありません。同氏は、AIに絵画を生成してもらうためのキーワードや文章（プロンプト）の作成に趣向を凝らしており、最終的には80時間を作品作りに費やして、900以上の候補から出品した3作品を選んだと述べています。つまり、アレン氏は画像の生成に必要な適切なプロンプトを作るという点において、人間的な創造性を発揮し、自分の感性をもとに、複数の候補からより芸術性の高い作品を選別しています。そのため、現時点ではAIが人間の創造性に置き換わるとは単純にはいえないのではないでしょうか？

　また、注目すべきなのは、AIがまったく何もない状態から画像を生成しているわけではないということです。AIは人間が作った絵画や画像という既存のデータを組み合わせ、人間の指示のもとに、新しいものを生み出しています。この点では、AIは創造性を発揮しているというよりは、人間の英知を集約させて、人間の思考を具体的なイメージに落とし込むという翻訳作業を代替していると説明した方が適切かもしれません。しかし、今後、ジェネレーティブAIによって生成されたデータが増えていき、人間の指示なしにランダムに人間の精神を充実させるような芸術性の高い作品を生成できるようになると、創造性の議論はまた別の次元に向かうかもしれません。

画像生成AIサービス
の仕組み

このチャプターでは、画像生成AIの仕組みやデータセット、画像生成AIを上手く使いこなすための方法について解説していきます。

画像生成 AI の仕組み①

ここでは、Stable Diffusionを例にとって、画像生成AIがどのように入力されたテキスト（プロンプト）から画像を生成しているのかについて簡単に解説していきます。

1 潜在拡散モデル

　Stable Diffusion は、拡散モデル（Diffusion Model）の一種である**潜在拡散モデル**（**Latent Diffusion Model**）を使用しています。拡散モデルと潜在拡散モデルの基本的な考え方は同じで、純粋なノイズ画像から少しずつノイズを取り除いていくことで、最終的に綺麗な画像を生成するという仕組みです。これを行うには、まず初めに綺麗な画像をノイズに変換するという逆の過程を考えます。つまり、綺麗な画像にノイズを繰り返し付加していって、最終的に純粋なノイズ画像を作る（順方向の拡散プロセス）ということです。

　拡散モデルでは、拡散プロセスを逆方向に進めることが可能で、純粋なノイズ画像から前のステップで画像に追加されたノイズを繰り返し予測・除去していくことで、綺麗な画像を生成します。このノイズ処理には多くの計算量が必要で、従来の拡散モデルでは、訓練や推測に時間がかかるという弱点がありました。そこで、潜在拡散モデルでは、大きな画像を圧縮し、潜在変数と呼ばれる数値の羅列にまとめることで、計算量を大幅に小さくし、プロセスを効率化しています。

2 CLIP

　入力したテキストと画像を結びつけるには、CLIPと呼ばれる画像分類モデルを利用しています。前述のようにCLIPは、「画像」と「その画像を説明するテキスト」のペアデータを学習に用いており、ある画像に対して、その説明文がどの程度合っているか（画像とテキストの類似度）を推定します。例えば、「枝がたわむほど多くの実をつけたリンゴの木」という説明文と「リンゴの実がたくさんついた木」の画像は、よく似ているという評価が得られます。しかし、同じ説明文に対して「寝ている猫」の画像や、「女優の顔写真」の画像をマッチさせようとすると、あまり似ていないという結果が数値で出力されます。

　このCLIPを使うことで、生成された画像がユーザーの入力したテキスト（プロンプト）にどれだけマッチしているかの類似度を計算し、その類似度が大きくなるまで新しい画像の生成を繰り返します。

　画像生成AIの仕組みはかなり複雑で専門的なため、ここでは詳細の説明は省略しています。より技術的な詳細を知りたい方は、原論文「High-Resolution Image Synthesis with Latent Diffusion Models」（https://arxiv.org/abs/2112.10752）をご参照ください。

19 拡散モデルと潜在拡散モデルの基本的な考え方

拡散モデルの仕組み

ノイズ化

ノイズ除去

画像をランダムノイズ化した後で、そのノイズから画像を生成する AI モデルを作ることを目指す。

潜在拡散モデルの仕組み

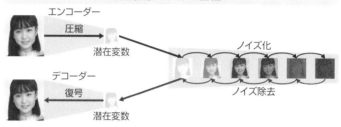

エンコーダー
圧縮
潜在変数
ノイズ化
デコーダー
復号
ノイズ除去
潜在変数

出所：https://www.nico-soda.jp/blog/post/20220907_000121.html

20 Stable Diffusion の仕組みのイメージ

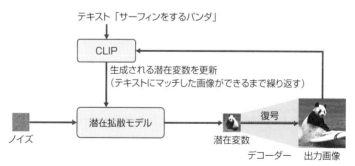

テキスト「サーフィンをするパンダ」

CLIP

生成される潜在変数を更新
（テキストにマッチした画像ができるまで繰り返す）

ノイズ　　　　潜在拡散モデル　　　　潜在変数　　復号　出力画像
デコーダー

出所：https://www.nico-soda.jp/blog/post/20220907_000121.html

CHAPTER 2-2 画像生成 AI の仕組み②

LAION-5Bは、Stable Diffusion で使われているデータセットであり、生成される画像の品質に影響を与えています。

1 データセットの質の重要性

画像生成 AI を構築するには、先ほど紹介した潜在拡散モデルや CLIP などのモデルだけではなく、モデルを訓練するための**データセット**も重要になります。なぜなら、データセットの質によって AI の精度が大きく左右されるためです。実際に、データサイエンスの分野では、「**Garbage In, Garbage Out**」（ゴミを入れたら、ゴミが出てくる）という概念があります。これは、欠陥のあるデータや無意味なデータを入力しても、無意味な出力や質の悪い結果を生み出すだけという意味です。

2 LAION-5B とは

画像生成 AI の Stable Diffusion では、**LAION-5B** と呼ばれる 58億5,000万もの画像とテキストのペアを含むデータセットの一部が使用されています。このデータセットは、ドイツの非営利団体 **LAION**＊によって作成されたもので、Stability AI は LAION に対して資金提供やコンピューティングリソースの提供を行っています。

＊ **LAION** Large-scale Artificial Intelligence Open Network の略。

LAION-5Bは、Common Crawl（世界中のウェブサイトの情報を収集して、そのアーカイブとデータセットを一般に提供する米国の非営利団体）のデータから派生した一般利用が可能なデータセットで、短すぎるテキスト、解像度が大きすぎる画像、違法コンテンツなどは可能な限り削除されています。Stable Diffusionでは、LAION-5Bのデータセットすべてを使用するのではなく、LAION-Aestheticsと呼ばれる厳選された品質の高い画像データのサブセットのみを使うことで、生成する画像の品質を高めています。具体的には、LAION-5Bのデータは、AIによって各画像が視覚的な美しさの観点で1〜10でスコア付けされており、一定のスコアを得た画像データがサブセットとして抽出されています。

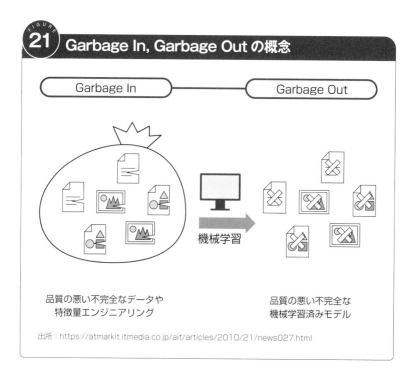

FIGURE 21 Garbage In, Garbage Out の概念

Garbage In ━━━ Garbage Out

機械学習

品質の悪い不完全なデータや
特徴量エンジニアリング

品質の悪い不完全な
機械学習済みモデル

出所：https://atmarkit.itmedia.co.jp/ait/articles/2010/21/news027.html

3 日本語に特化した画像生成 AI

画像生成AIの大半は英語をベース言語に使用していますが、ここでは日本語に特化したJapanese Stable Diffusionについて紹介していきます。

1 日本語による画像生成 AI の課題

Stable Diffusion や Midjourney など、これまで紹介してきた画像生成 AI は、基本的には英語のテキストに紐づいた画像を使って学習をしています。そのため、日本語から画像を生成するためには、英語に翻訳した**テキスト（プロンプト）**を用意する必要があります。ちなみに、前項の LAION-5B は58億5,000万組の画像とテキストのペアのデータベースでしたが、日本語のデータセットは、そのうちの1億3,000万組ほど（約2%）しか含まれていません。そのため、日本語テキストによる指示は的外れになりがちという課題があります。また、日本語固有の表現（固有名詞、和製英語、オノマトペ）は、英語に翻訳することが難しいため、画像の生成に反映させにくかったり、学習データの多くは英語圏の画像のため、英語圏の文化を色濃く反映した画像が生成されたりする傾向もあります。

2 Japanese Stable Diffusion

AI キャラクターの開発企業である **rinna**（日本マイクロソフトのチャットボット AI 事業から2020年6月に独立）は、Stable Diffusion を日本語に特化させた **Japanese Stable Diffusion** を2022年9月に発表しています。

Japanese Stable Diffusion では、日本語のテキストと紐づけた1億枚の画像を学習データとして使用して、Stable Diffusion の画像分類モデルである CLIP を追加学習させています。そうすることで、日本語によるプロンプトの指示に対応した画像生成 AI の実現を目指しています。Japanese Stable Diffusion のモデルは、同社のサービスである「**AI りんな**」の Twitter アカウントや AI キャラクターの SNS である「**キャラる**」で実装されています。例えば、AI りんなの Twitter アカウントでは右図のツイートに日本語の指示をリプライで送ると、Japanese Stable Diffusion で生成された画像が返信される仕組みになっています。

22 Japanese Stable Diffusion で生成した画像

▲りんな@AI画家

　「ビールを飲む居酒屋のサラリーマンたち」という日本語のプロンプトで指示したところ、顔の細部は崩れていますが、「居酒屋」や「サラリーマン」といった日本語独特の言葉のイメージを上手く反映しています。

出典：https://twitter.com/ms_rinna/status/1567844022240313344

プロンプトエンジニアリング①

画像生成AIに代表されるジェネレーティブAIの発達に伴って、AIによるアウトプットを人間が助けるプロンプトエンジニアリングという概念が注目を集めています。

1 プロンプトエンジニアリングとは

Stable Diffusionは、2022年の8月時点で1日170万枚以上の画像を生成しています。また、大規模言語モデルであるGPT-3によって生成されている単語数は2021年6月時点で1日平均45億個を超えています。ジェネレーティブAIによって生成されるコンテンツが増加する中では、AIに適切な指示を出すことで、より効果的にAIと協働することが求められています。このような中で注目されているのが、**プロンプトエンジニアリング**（Prompt Engineering）という考え方です。これは、ジェネレーティブAIに対して的確なプロンプト（テキスト）で指示や質問をすることで、AIが生成するアウトプットの質を高める手法のことです。

今後は、**プロンプトエンジニア**と呼ばれる職種が広がる可能性もあります。英語圏では、すでにGPT-3をベースにした文章生成AIを用いたサービスを使って、メールや記事、広告などの生成を行うプロンプトエンジニアが活躍しています。プロンプトエンジニアは、顧客の要望をくみ取ってイメージを具体化しながら、それをAIに適切に指示する（プロンプトを作る）役割を担います。

プロンプトエンジニアには、イメージを言語化する力やAIにわかりやすい表現を考える力、AIのアウトプットがイメージと違ったときに、追加の指示によって理想のイメージに近づける力などの高度な言語能力が求められます。

② 画像生成AIとプロンプトエンジニア

　画像生成AIにおけるプロンプトエンジニアリングは、どのようなものになるのでしょうか？　例えば、AIに「いい感じのクリスマスの絵」を描いてもらいたい場合、そのままの指示ではAIはそのイメージをくみ取ってくれません。「いい感じ」という言葉は抽象的かつ主観的なものであるため、より具体的な指示に変換する必要があります。例えば、「サンタクロース、トナカイ、プレゼント、空」といった言葉を足すとよりイメージに近づいてきます。また、情景を足そうとすれば、「プレゼントを持ったサンタがトナカイのそりに乗って、雪の降る夜を飛んでいる」というようなプロンプトになります。

　さらに、細かな画角や画風などを調整したい場合は、「超広角。サンタが2頭のトナカイが引くそりに乗って夜空を飛んでいる。そりの後ろに大きな月がある。レイモンド・ブリッグスの絵本のようなタッチ」というようなプロンプトにすることで、よりイメージに近い画像を生成することが可能になります。

　実際、プロンプトに工夫を施すことで、よりデザイン性の高い画像を作成できるプロンプトエンジニアは、ウェブデザイナーのように報酬を得ることができるようになってきています。

FIGURE
23 プロンプトの試行イメージ

筆者が Stable Diffusion を使って、以下の4つのプロンプトで生成した画像
●左上：「いい感じのクリスマスの絵」（a nice Christmas picture）
●右上：「サンタクロース、トナカイ、プレゼント、空」（santa claus, reindeer, gifts, sky）
●左下：「プレゼントを持ったサンタがトナカイのそりに乗って、雪の降る夜を飛んでいる」（On a snowy night, Santa is flying on a reindeer sleigh, carrying presents.）
●右下：「超広角。サンタが2頭のトナカイが引くそりに乗って夜空を飛んでいる。そりの後ろに大きな月がある。レイモンド・ブリッグスの絵本のようなタッチ。（A fairly wide shot. Santa Claus is flying in the night sky on a flying sled pulled by two reindeer. A big moon is behind the sled. like a picture book, by Raymond Briggs.」

※プロンプトどおりに生成できない場合もあります。

プロンプトエンジニアリング②

ここでは、イメージに近い画像を生成するコツとして、プロンプトを作成する際によく使われるパワーワードやパラメーター（関数）について紹介していきます。

1 プロンプトで使えるパワーワード

自分の理想により近い画像に近づけるためにプロンプトを入力する工程は、画像生成 AI を使う上で特に大変な作業です。そのため、ネット上では有志のクリエイターたちが、理想のプロンプトを作成する上で参考になる**パワーワード**を紹介しています。今回は、Midjourney を例にその一部を見ていきます。

まず、Masterpiece（傑作）、high-quality（高品質）、Unreal Engine（ゲーム制作用のエンジンの名称）、4K・8K・16K（解像度の単位）などのキーワードを記載すると、よりリアルでクオリティの高い画像を生成してくれます。また、画風を調整するには、photo（写真風）、oil paint（油彩画風）、3D render（3DCG 風）、anime（アニメ風）などのキーワードが使われています。さらに、Gogh（ゴッホ）、Dali（ダリ）、Monet（モネ）のような画家の名前を入れると、その画家の画風に近づけることができます。ただし、権利上の関係で画家名や作品名をプロンプトに含めることが問題視される場合もあるため、注意が必要です。

24 プロンプトで使えるパワーワード（Midjourney を対象）

画像の仕上がりを綺麗・リアルにしたい場合

Unreal Engine、Octane Render、Realistic、Photorealistic、16k、8k、4k、Cinematic、Photorealism、実際にあるカメラ名など

人物系

Portrait（顔メインにしたい場合）、Full body（人の全身を映したい場合）、〜hair（long hair、short hair、blonde hair、black hairなど長さや色を指定）、〜skin（brown skinなどの肌色やtanned skin（日焼け）など指定）、Kawaii（ポップで2次元風）、Anime、Chibi anime（2頭身や3頭身のちびキャラ）、Cute、Pixivなど

調整ワード

hyper quality、highly detailed（細部描写）、dof（ピント調整）、wide angle（視野角広め）、cinematic lighting（強めの光）、soft lighting（弱めの光）、color 〜（物体の色を指定）、desaturated（色褪せた感じ）、elaborate（緻密・精巧）、black and white（白黒）、symmetrical（物体を左右対称にしたい場合）、〜 atmosphere（dark atmosphere、beautiful atmosphere、divine atmosphereなど画像の全体的な雰囲気作り）、manga/comic（漫画風）、weird（不気味、気味悪い感じ）、blur（ぼかし）など

テイスト・世界観

sci-fi（SF風）、steampunked（スチームパンク）、cyberpunked（サイバーパンク）、Mecha（メカ）、Modern Architecture（現代建築）、Artgerm、Trending on Artstation、Art print、Character conceptなど

その他
（強いフィーリングや神秘的な響きのする言葉は良い結果を生みやすい）

a sense of awe、the will to endure、cognitive resonance、the shores of infinity、the birth of time、a desire for knowledgeなど

出所：https://note.com/matsur1/n/n088b30720ea8
　　　https://blogcake.net/aiart-prompt/#index_id26

他にも、背景、光、色彩、物体の大きさ、人物の表情、構図やレイアウト、フォーカスやぼかしなどを調整できるようなプロンプトもあります。パワーワードには、どの画像生成 AI のサービスにも流用できるものがありますが、同じワードでもそこから想起される表現が異なるものもあります。

② パラメーター（関数）

　画像生成 AI には、**パラメーター（関数）**という機能があり、これを調整することでよりイメージに近い画像にすることができます。この関数は画像生成 AI のサービスごとに異なりますが、今回は、Midjourney を参考にいくつかの関数を紹介します。まず、「--aspect」（または --ar）は、画像の縦横比率を指定する関数です。例えば、「--ar 9：16」と入力すると、縦長の画像が生成されます。「--quality」（または --q）は、画像の品質と生成時間を調整する関数です。0.25、0.5、1.0のように指定でき、数値が高いほど画像のクオリティは高くなりますが、生成にかかる時間やコストが増えます。また、「--no」は、ネガティブプロンプトと呼ばれる関数で、画像の中に反映させたくないキーワードを指定することができます。Midjourney では、公式サイトでその他の関数も公開しています。これらの関数は1つのプロンプトの中で併用することが可能で、その際のコマンドの順番は気にする必要はありません。

プロンプトエンジニアリング③

AIが生成した画像とそのプロンプトをまとめたデータベースや、プロンプトの作成補助ツールを活用することで、プロンプトの作成を効率化することができます。

1 AI で生成された画像とそのプロンプトのデータベース

Lexica というサイトでは、Stable Diffusion で生成された1,000万を超える画像が、そのプロンプトと併せて閲覧できます。同様のツールには KREA などがあります。これらのツールでは、自分が生成したい画像のイメージに似た画像を探して、その類似画像のプロンプトを参照して、自分のプロンプトを作成するといったことができます。

2 プロンプトの作成補助ツール

プロンプトの作成を部分的に自動化してくれるツールも登場しています。例えば、Midjourney Prompt Helper は、スタイル、照明、カメラ、色などの様々な要素を視覚的な選択肢から選ぶだけで、その要素を付加するためのプロンプトを自動作成してくれます。例えば、スタイルのセクションをクリックすると、様々なスタイル（Anime、Cyberpunk、Oil Painting、Realistic など）がサンプルイメージとともに表示されるので、そこから好みのスタイルを自由に選択できます。同様のツールには promptoMANIA があり、Midjourney や Stable Diffusion などの複数の画像生成 AI のサービスに対応しています。

3 プロンプトの自動作成ツール

Prompt Generator というツールでは、生成したいイメージを文章で入力すると、画像を生成するためのより詳細なプロンプトを自動で作成してくれます。例えば、「Illustration of a beautiful girl in a white dress sitting by the window」（窓際に座る白いワンピースの美少女のイラスト）という文章を入力すると、この文章に細かな設定を加えたプロンプトが4種類ランダムに作成されます。この自動生成された複数のプロンプトを組み合わせたり書き換えたりすることで、より簡単にプロンプトを作成することができます。なお、Prompt Generator は非公式のツールで、有志のプログラマーである Gustavosta 氏が開発しています。

FIGURE 25 プロンプトデータベースの Lexica

他のユーザーが画像生成AIで作った画像のプロンプトを検索することができます。

自分のイメージに合う画像をクリックすると、その画像を生成するために使ったプロンプトを見ることができます。また、「Copy prompt」をクリックすると、そのプロンプトがコピーされます。

出所：https://lexica.art/

52

2-7 プロンプトエンジニアリング④

PromptBaseやPromptSeaといったマーケットプレイスでは、プロンプトエンジニアたちが生成したプロンプトを購入することができます。

1 プロンプトを取引できるマーケットプレイス

　自分で作ったプロンプトでは思いどおりの画像を生成できない場合には、プロンプトエンジニアたちが作ったプロンプトを購入することもできます。プロンプトを売買することができるマーケットプレイスには、**PromptBase** や **PromptSea** などがあります。PromptBase では、DALL·E 2、Midjourney、Stable Diffusion といった画像生成 AI や ChatGPT で使用できるプロンプトを1.99ドルから購入できます。また、PromptBase では審査を行った上でプロンプトが出品されており、安全性やクオリティが担保されていることが特徴です。さらに、プロンプトの購入だけではなく、プロンプトエンジニアに連絡をすることで、仕事を依頼したりすることもできます。

　もう1つの PromptSea は、NFT 化*したプロンプトを取引できるマーケットプレイスになっています。PromptSea はブロックチェーン上でプロンプトをトークン化することで、各プロンプトの作成、取引、販売に関する改ざん不可能な記録を作成します。このプロセスには時間やコストがかかりますが、トークン化されたプロンプトの取引は追跡可能で、そのプロンプトの正当な所有者を明確にできるというメリットがあります。

＊ NFT 化　　唯一無二の価値を保証されたデジタルデータにすること。

　ドイツの研究機関の研究チームは、画像生成 AI を使って生成した画像から、そのプロンプトを盗むことができる方法を考案しています。これは、生成した画像から、そのベースになったプロンプトをどこまで推測できるのかを調査したもので、PromptStealer と呼ばれるツールを提案しています。研究チームによると、このツールにターゲットとなる生成画像を与えると、わずか0.01秒でその画像のプロンプトを得ることができると主張しています。また、同チームではプロンプトの盗用を防ぐ方法も研究しており、PromptShield と呼ばれるツールを提案しています。このツールでは、生成した画像のプロンプトを他のユーザーが推測できないように、あらかじめ画像にノイズを付加するというものです。

FIGURE
26 **プロンプトが盗まれる流れ**

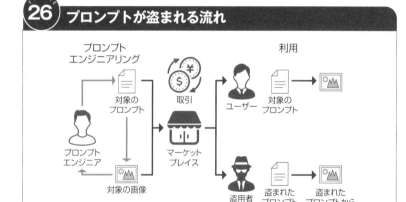

画像生成 AI において、プロンプトは非常に重要な要素であり、上手く活用すれば収益化できる一方で、適切に管理をしないと作品を模倣されるリスクもあります。

出所：https://www.itmedia.co.jp/news/articles/2303/01/news071.html

Image to Image での画像生成

一部の画像生成AIでは、テキストによる指示から画像を生成するだけでなく、参考画像から新しい画像を作り出せるImage to Imageと呼ばれる機能も登場しています。

1 画像から画像を生成する

Stable Diffusion では、入力したテキストのプロンプトから画像を生成するだけでなく、参照したい画像と補足説明のテキストを入力することで、画像を生成できる **img2img**（Image to Image）と呼ばれる機能も利用できます。img2img を使うことで、構図や配色などについてより具体的な指示を与えることが可能になります。例えば、図（左）のようなラフなイラストの参照画像を用意して、「A fantasy landscape, trending on artstation」（幻想的な風景、よりアーティスティックなイメージで）という補足説明のテキストを入力すると、図（右）のような画像を生成してくれます。他にも、実際のひまわりの写真を用意して、ゴッホ風にしてほしいと指示することでゴッホの絵画のような画像に変換したり、すでにある程度形ができているキャラクターイラストの表情や絵柄を変えたりといった手直しにも活用できます。

2 AI イラストメーカー

img2img に関連して、AI イラストメーカーと呼ばれるツールも話題になっています。これは、AI が写真を簡単にイラストにしてくれるというもので、中国の **Meitu** が開発する画像加工アプリケーションの「Meitu」がその代表例です。

MeituのAI Artと呼ばれる機能では、AIによって写真をイラスト化したり、簡単なイラストをベースにして、より繊細で複雑なイラストを作成したりすることができます。画像生成AIと違い、細かな画風を指定することはできませんが、テキストのプロンプトを必要とせずに、高品質な画像を生成できる点は魅力的といえます。他のAIイラストメーカーには、PREQUEL、ToonMe、Voilà AI Artistがあります。

Stable Diffusion の Image to Image 機能

左が参照した画像。
右がStable Diffusion
を使って生成した画像。

出所：https://replicate.com/stability-ai/stable-diffusion-img2img

img2imgの機能では、下記のような細かい設定を行うこともできます。

Prompt Strength	元の画像をどれほど維持するか（数値が大きいほど元の画像に近い出力になる）
Number of Outputs	生成したい画像の枚数
Steps	画像生成に費やすステップ数。多いほど結果が良くなりやすいが時間がかかる
Guidance Scale	大きくするほどプロンプトで指示したテキストをより正確に表す画像が得られる。低いほどプロンプトに関係ない要素が含まれやすくなるが、その分クリエイティブな画像になる

Column
画像生成 AI と GPU

　画像生成AIをはじめとする高度なAIの開発が発展した背景には、ビッグデータの膨大な計算処理を短時間で実行できるGPUが登場し、効率的な機械学習やディープラーニングが可能になったことが挙げられます。

　GPU*とは、画像を処理するために必要な計算を処理してくれる装置のことです。GPUと似た言葉に**CPU***があります。どちらもデータを処理する装置ですが、CPUは複雑な計算や汎用的な処理を得意としている一方で、GPUは画像処理に特化し、並列処理（複数のタスクに同時にこなす）ができるという違いがあります。

　GPUは、もともとCG（コンピューターグラフィクス）の描画処理のために開発されましたが、エンジニアや研究者が描画に必要となるGPUの強力な並列演算能力を、機械学習やディープラーニングなどのAI開発に応用し始めました。GPUを開発する企業として有名なのはNVIDIAとAMDで、GeForce（NVIDIA）やRadeon（AMD）といったブランドがよく知られており、その性能は日々進化しています。

　オープンソースの画像生成AIであるStable Diffusionは、NVIDIA製GPUで計算を行うように設計されている（NVIDIA以外のGPUでStable Diffusionを実行できないというわけではない）ため、ローカル環境（個人のコンピューター内に構築された環境）で実装するとなると、マシンに求められるスペックが高くなってしまいます。そこでよく利用されているのがGoogle Colaboratory（Colab）のようなオンライン実行環境です。Colabは、クラウド上で画像生成AIの実行環境を構築できるため、GPUを搭載したハイスペックなマシンでなくても、実装することができます。

　AIと聞くとビッグデータやアルゴリズムに注目が集まりがちですが、それを支えるハードウェアであるGPUも画像生成AIの進化を支えています。

---

* **GPU**　Graphics Processing Unit の略。
* **CPU**　Central Processing Unit の略。

MEMO

画像生成AIと著作権

　このCHAPTERでは、著作権を中心とした画像生成AIに関連する法的な問題や倫理的な問題について解説していきます。

著作権とフェアユース

画像生成AIには、著作権を中心とした法的な問題が生じること
があります。ここではまず著作権やフェアユースと呼ばれる概念
の基本的な考え方について簡単に解説します。

1 著作権とは何か？

著作権は著作物を保護するための権利です。**著作物**とは、思想ま
たは感情を創作的に表現したものであって、文芸、学術、美術また
は音楽の範囲に属するものを指します。著作権で保護される著作物
には、小説、音楽、絵画、地図、アニメ、漫画、映画、写真、コンピュー
タプログラムなどが含まれます。その一方で、単なるデータは、思
想または感情を表現したものではないため、著作物には該当しませ
ん。また、創作的であることが要求されるため、他人の創作物を模
倣したものや、ありふれたものは著作物に該当しません。さらに、
理論や法則等のアイデア自体は、表現を伴わないため著作物に該当
せず、工業製品等も文芸、学術、美術または音楽の範囲に属しない
ため、著作物から除かれます。

著作権は著作物を創作した時点で、何の手続きも必要とせずに発
生します。著作権を有すると、自身の著作物の利用を独占でき、第
三者が無断でその著作物を利用していれば、それを禁止することが
できます。しかし、保護される期間が定められており、保護期間が
経過した後は、誰でも自由にその著作物を利用することができます。
日本での著作権の保護期間は、原則として著作者の死後70年とさ
れており、保護期間の終了した著作物は、パブリックドメインと呼
ばれています。

2 フェアユースとは何か?

　多くの国には、著作権者の権利を侵害せずに著作権で保護されている作品を利用する特定の方法があります。例えば、アメリカでは著作権を制限する**フェアユース**という概念があります。フェアユースは、日本では公正利用や公正使用と訳されている概念で、アメリカ著作権法に定められている著作権の例外規定の1つです。そこでは、批評、解説、ニュース報道、教授（教室における使用のために複数のコピーを作成する行為を含む）、研究または調査などを目的とする著作物の使用は、フェアユースとして著作権の侵害とならないという一般的な定めを置いています。フェアユース規定は世界的に導入が進んでおり、台湾、フィリピン、シンガポール、イスラエル、韓国、マレーシアなどが類似の規定を持っています。しかし、日本法にはこれに該当する規定はありません。

FIGURE 28　著作権の対象になるものとならないもの

著作物の例
言語の著作物　音楽　美術　映画　プログラム

著作物ではないものの例
単なるデータ／事実　アイデアそのもの　大量生産工業製品のデザイン

出所：https://atmarkit.itmedia.co.jp/ait/articles/1307/17/news004.html

画像生成AIに関する著作権の問題①

ここでは、画像生成AIに学習させるデータセットに著作物を収集・提供することが可能かという点について、解説していきます。

1 画像生成AIに関する著作権の問題

画像生成AIには、大きく3つの点で著作権の問題が関わってきます。1つ目は、AIに学習させるデータセットに著作物を収集・提供することができるか（著作権者は自分の著作物の収集・提供を拒否できるか）という点です。2つ目は、ユーザーが入力するプロンプトの文章が著作物として保護されるかという点、そして3つ目は、画像生成AIで作成した画像は著作物の対象物となりうるのかという点です。ここでは1つ目の点について解説します。

2 データセットと著作権の問題

Stable DiffusionやMidjourneyなどの画像生成AIは、膨大な画像データで構成されたデータセットを使って学習をしています。しかし、このデータセットに含まれる画像の著作権の問題は、AIの進歩に追いついていないのが現状です。多くのAIの開発企業は、AIモデルの学習に使われるデータセットに、著作権で保護された画像データなどを使用することは、フェアユースに該当するとして正当化しています。実際にStable Diffusionは、個人のブログに掲載されている写真やイラスト、ShutterstockやGetty Imagesをはじめとするストックフォトサイトから収集した何億枚もの画像で構成されたデータセットを学習に利用しています。

　ヴァンダービルト大学法科大学院で知的財産法を専門とする Daniel Gervais 教授によると、著作権で保護されたデータで AI モデルを学習することはフェアユースの対象となる可能性が比較的高いと解釈しています。ただし、フェアユースかを判断するには、その画像を使用する目的や市場に与える影響、その画像の著作者の生活を脅かさないかといった点が重視されると述べています。

　その一方で、AI の学習データセットのために、自分の作品をウェブから無断でスクレイピングされたアーティストからの批判は高まっています。この議論に関連して注目されているのは、Shutterstock と Getty Images の動向です。Shutterstock は OpenAI と提携し、OpenAI の DALL・E 2を自社のコンテンツと統合して、**Shutterstock.AI** と呼ばれる画像生成 AI ツールを発表しています。

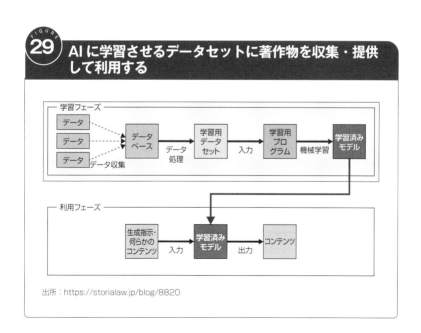

FIGURE 29　AI に学習させるデータセットに著作物を収集・提供して利用する

出所：https://storialaw.jp/blog/8820

さらに、AI データセットへの貢献に対してアーティストが報酬を得られるようにする枠組みを構築したとも発表しています。

　一方で、Getty Images は、自社サイトの写真を許可や補償もなくコピーしているとして、Stability AI を提訴しています。Getty Images は、Stability AI が同社の保有する1,200万枚以上の画像を許可なく複製し、AI モデルの学習に利用したとして非難しています（執筆時点では判決は出ていません）。ただし、Getty Images は、AI が創作活動を刺激する可能性があるとして、個人の権利や知的財産権を尊重する形で、同社が所有・管理するコンテンツを AI 開発用ライセンスとして提供し始めています。

 補足：日本の著作権法における解釈

（著作物に表現された思想又は感情の享受を目的としない利用）
第三十条の四　著作物は、次に掲げる場合その他の当該著作物に表現された思想又は感情を自ら享受し又は他人に享受させることを目的としない場合には、その必要と認められる限度において、いずれの方法によるかを問わず、利用することができる。ただし、当該著作物の種類及び用途並びに当該利用の態様に照らし著作権者の利益を不当に害することとなる場合は、この限りでない。
一　略
二　情報解析（多数の著作物その他の大量の情報から、当該情報を構成する言語、音、影像その他の要素に係る情報を抽出し、比較、分類その他の解析を行うことをいう。第四十七条の五第一項第二号において同じ。）の用に供する場合
三　略

　日本の法律では、AI の機械学習を目的にした著作物の利用は「著作権法第30条の4第2号」で基本的に認められています。著作物の種類や用途、商用利用の有無は問わず、許諾も不要ですが、「著作権者の利益を不当に害してはいけない」という但し書きが付いています。この規定は、2018年の法改正で定められましたが、海外と比べても先進的といえます。

出所：著作権法

3 画像生成AIに関する著作権の問題②

ここでは、ユーザーが入力するプロンプトの文章が著作物とし
て保護されうるかという点について解説していきます。

1 短い文章と著作権の問題

プロンプトが著作物になりうるかですが、前述の著作物の定義を
見てみると、「その表現に創作性があるのか、思想または感情を表
現したものであるか」が重要な観点になります。また、プロンプト
のように比較的短い文章や言葉でも著作物として保護されるかは難
しい問題です。日本の判例を見てみると、「ボク安心ママの膝より
チャイルドシート」という交通標語に著作物性が認められた場合も
あります（東京地判平成13年5月30日）。この短い交通標語は、リ
ズミカルな表現や対句法が用いられており、情景が効果的に描かれ
ているという点から、筆者の個性が十分に発揮されていると判断さ
れています。

その一方で、英会話教材として有名だったスピードラーニングが
使用していた、「ある日突然、英語が口から飛び出した！」といった
キャッチフレーズには、著作物性はないとされています（知財高判
平成27年11月10日）。このキャッチフレーズは、ありふれた言葉
の組み合わせや表現であり、作成者の思想・感情を創作的に表現し
たものとは認められないとして、創作性が否定されています。

② プロンプトに著作物性はあるか

「猫、昼寝、屋根」のような単語を羅列しただけのプロンプトの場合には、著作物性が認められる可能性はかなり低いです。その一方で、川端康成の長編小説「雪国」の冒頭の文章である「国境の長いトンネルを抜けると雪国であった。夜の底が白くなった。信号所に汽車が止まった。」のような作者の思想や感情が十分に表現されたプロンプトであれば、著作物性が認められるかもしれません。ただし、プロンプトに著作物性が認められた場合でも、著作権の及ぶ範囲が、デッドコピー（創作物をほぼそのまま模倣すること）を禁止するだけにとどまる可能性もあります。つまり、自分のプロンプトを参考にして、誰かが類似したプロンプトを作成した場合には、自分のプロンプトの権利は及ばないことになります。

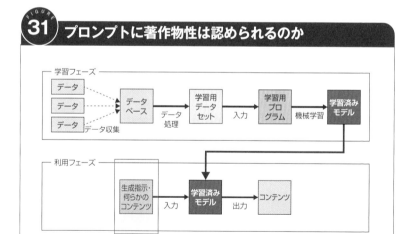

31 プロンプトに著作物性は認められるのか

※画像生成 AI では著作権以外にも、**パブリシティ権**の侵害（著名人の肖像が生成された場合）や**名誉権**侵害（実在の人の名誉を傷つけるような画像が生成された場合）などあります。

出所：https://storialaw.jp/blog/8820

画像生成 AI に関する著作権の問題③

ここでは、画像生成 AI で作成した画像は著作物の対象物になり
うるのかという点について解説していきます。

1 AI が作ったものに著作権が認められるのか

　日本を含むほとんどの国の著作権法では、著作権が発生する対象
は、人間による創作物に限られています。つまり、人間が創作に関
与せず、AI などの機械だけで生成された創作物には、著作権は発生
しないということです。画像生成 AI の場合、プロンプトの作成は
人間が行いますが、それは人間が創作に関与したといえるのでしょ
うか？

　創作に関与したかというのは、「作成者がプロンプトを通じて AI
に具体的で詳細な指示を出したかどうか」で判断されると考えるこ
とができます。ここでは、より具体的な場合に分けて考えてみます。
まず、画像生成 AI に短いプロンプトを入力して画像を出力した場
合は、プロンプトを入力した人間が創作に関与しているとはいえず、
その画像がどれだけ創造的であったとしても、著作権が発生しない
可能性が高いです。しかし、より詳細で具体的な指示を含む長文の
プロンプトを入力して画像を生成した場合には、そのプロンプトを
作成した人間の創造的な関与が認められて、出力された画像に著作
権が発生する可能性が高まります。

また、短いプロンプトであったとしても、プロンプトに含まれる
キーワードやパラメーターの設定を変えるなど、試行錯誤しながら
複数の画像を生成して、その中から画像を選択するといった場合も
あると思います。そうした場合には、作成者が自らの感性をもとに
画像を編集および選択しているため、創造的な関与があると認めら
れる場合もあると考えられます。さらに、画像生成 AI で作った画
像に、別のデジタルツールを使って人間がさらに加工を施して、創
造的な表現を加えた場合には、その創作物には著作権が発生すると
考えられます。ただし、下記のマンガの事例にもあるように、実際
に著作権が認められるかどうかは、人間である著作者の作品への貢
献度に応じて、案件ごとに判断されます。

② 画像生成 AI で作られたマンガ「Zarya Of the Dawn」

　2022年9月に、Midjourney を使って作成されたマンガが米国
の著作権登録を取得しました。「Zarya Of the Dawn」というこの
創作物は、キャラクター、セリフ、コマ割りなどの要素を含むマン
ガ形式で描かれた18ページの作品です。この作品を制作したアー
ティストの Kristina Kashtanova 氏は、米国著作権局から、マン
ガの作成過程に実質的な人間の関与があったことを示す制作プロセ
スの詳細を提供するように要請されたと述べています。しかし、同
年12月には、同局はこのマンガのイラスト部分の著作権を取り消
す手続きを始め、2023年2月に Midjourney が生成した画像は著
作権によって保護される独創的な著作物ではないと結論付けていま
す。このケースでも、人間が創作にどれだけ寄与したかや、創作プ
ロセスにおける画像生成 AI の役割が論点となっています。

32 画像生成 AI で作成した画像に著作権は認められるのか

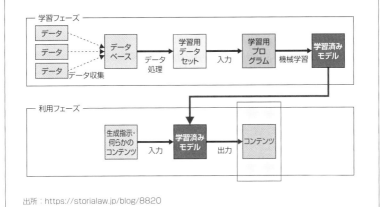

出所：https://storialaw.jp/blog/8820

33 画像生成 AI で作成した画像に著作権が認められる 可能性があるケース

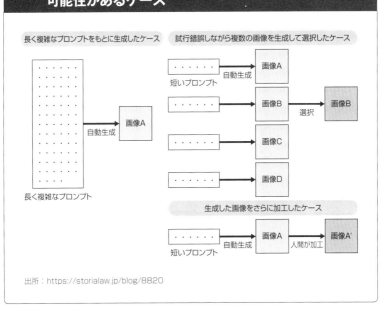

出所：https://storialaw.jp/blog/8820

画像生成 AI に関する著作権の問題④

> ここでは、画像生成AIで作成された画像に著作権が認められた場合に、誰がその著作権を有するのかという点について解説していきます。

1 誰が著作権を有するのか?

　著作権は基本的に著作物を創作した人に帰属します。そのため、画像生成 AI についても、AI を使って画像を生成したユーザーに、その画像の著作権が与えられることになります。ここでは、画像生成 AI のサービスを提供している企業が、ユーザーが作成した画像の著作権を有するのではないかという疑問が生じるかもしれません。しかし、サービスを提供する企業は、あくまで画像生成 AI というソフトウェア（プログラム）の著作者にすぎず、ユーザーが作成した画像については、創造的な関与は行っていないため、生成された画像の著作権を持つことはないということになります。

　ちなみに、AI 自身に人格を認めれば、AI も著作者になれるのではないかという疑問もあるかもしれません。この疑問に対して、米国の著作権局の審査委員会は、AI が作成した著作物には著作権が発生しないという方針を示しています。つまり、現在の著作権法では人間の創造的な関与が含まれるかどうかが判断の基準となっており、人間の創造的な関与なく、単なる機械的なプロセスによってのみ生成された作品は、著作物の対象にはならないというのが一般的な解釈です。

② Midjourney の場合の著作権の扱い

　Midjourney を例に取って、著作権の扱いについて見ていきます。Midjourney の利用規約には、図のような記載があります。この記載によると、Midjourney を使って生成した画像を含むアセットの権利はユーザーにあることがわかります。ただし、一定の権利をMidjourney 側に承諾することも定められています。つまり、生成した画像の著作権はユーザーに属しますが、Midjourney はユーザーコミュニティの発展やサービスの宣伝、またAI の改良のために、ユーザーの生成した画像を使用する許可を得ていることになります。

　ただし、そこには例外があるとも記載されており、Midjourney の有料プランでない場合と、法人向けプランに加入していない年間100万ドル以上の収入のある企業ユーザーの場合には、この限りではないとしています。無料プラン（執筆時点では無料プランへのアクセスを一時停止中）で Midjourney を使用するユーザーが生成した画像の場合は、クリエイティブ・コモンズ（著作者がみずからの著作物の再利用を許可するという考え）のもと、非営利であれば誰でもその著作物を自由に使って良いことになっています。そのため、他のユーザーは、その画像を自由にリミックス（加工や編集）したり、コピーしたりできます。

FIGURE 34 **Midjourney の著作権に関する利用規約の一部**

(日本語は抄訳)

● Subject to the above license, You own all Assets You create with the Services, to the extent possible under current law. This excludes upscaling the images of others, which images remain owned by the original Asset creators. Midjourney makes no representations or warranties with respect to the current law that might apply to You. Please consult Your own lawyer if You want more information about the state of current law in Your jurisdiction. Your ownership of the Assets you created persists even if in subsequent months You downgrade or cancel Your membership. However, You do not own the Assets if You fall under the exceptions below.

• If You are an employee or owner of a company with more than $1,000,000 USD a year in gross revenue and You are using the Services on behalf of Your employer, You must purchase a "Pro" membership for every individual accessing the Services on Your behalf in order to own Assets You create. If You are not sure whether Your use qualifies as on behalf of Your employer, please assume it does.

• If You are not a Paid Member, You don't own the Assets You create. Instead, Midjourney grants You a license to the Assets under the Creative Commons Noncommercial 4.0 Attribution International License (the "Asset License").

●ユーザーは、現行法の下で可能な範囲で、本サービスを使用して作成したすべてのアセットを所有するものとする。ただし、以下の例外に該当する場合、ユーザーはこれらのアセットを所有しないものとする。

• ユーザーが年間総収入100万米ドル以上の企業の従業員またはオーナーであり、ユーザーが雇用主を代表して本サービスを使用している場合。その場合、作成したアセットを所有するには、Pro Plan（有料）を購入する必要がある。

• ユーザーが有料会員でない場合、作成した資産を所有することはできない。その代わり、Midjourney は、Creative Commons Noncommercial 4.0 Attribution International License に基づいて、アセットに対するライセンスを付与する。

出所：https://taziku.co.jp/blog/midjourney-terms
　　　https://docs.midjourney.com/docs/terms-of-service

画像生成AIに関する著作権の問題⑤

ここでは、画像生成AIで作成された画像が、著作物である他の画像に類似してしまった場合に、それが著作権の侵害にあたるのかついて解説していきます。

1 著作権侵害に該当する場合

著作権侵害には、主に①既存の画像が著作物かどうか（**著作物性**）、②新しく作成した画像が、既存のイラストや画像に依拠して作成されたものか（**依拠性**）、③新しく作成した画像が、既存の画像に類似しているかどうか（**類似性**）という3つの判断基準が存在します。

1つ目の著作物性については、これまで解説してきたように、その画像が思想または感情を創作的に表現したものであるかによって判断されます。2つ目の依拠性については、新しく作成した画像が、既存の著作物を参考にして作ったかどうかが問題となります。つまり、結果として偶然類似したものができあがってしまった場合には、著作権侵害にならないことになります。3つ目の類似性については、「既存の著作物の表現形式上の本質的特徴部分を、新しい著作物からも直接感得できる程度に類似しているか」が判断基準になります。そのため、作風やスタイルが似ているといった程度では、著作権侵害に該当しません。ただし、この類似性の判断基準は必ずしも明確なものではないため、争点になることが多いです。

画像生成 AI の場合に意見が分かれるのは依拠性の問題です。具体的には、著作物であるオリジナルの画像が、使用した画像生成 AI の学習用データセットに含まれていたとき、そのオリジナルの画像を参考にしたとして依拠性を認めるという意見もあれば、オリジナルの著作物は AI によってパラメーター化されているため、依拠性を認めるべきではないという意見もあります。

2 著作権侵害の責任を誰が負うのか

　画像生成 AI で生成した画像に、既存の著作物との依拠性と類似性が認められて、著作権侵害に該当してしまった場合、その責任を負う可能性があるのは、「画像を生成する指示を出したユーザー」と、「画像生成 AI のサービス提供企業」の二者です。ユーザーが責任を負うのは、著作権侵害にあたる画像を販売・配信した場合などです。しかし、そのユーザーが既存の著作物の存在を知らなかった場合は、故意・過失がないため損害賠償請求は難しいと考えられます。

　一方で、画像生成 AI のサービス提供企業が責任を負うのは、そのサービスが著作権侵害の発生の実質的な危険性を有していて、それを知りながら、または知るべきでありながら、防止のための合理的な措置を採らなかった場合です。しかし、実際には、十分な量のデータセットで学習された画像生成 AI の場合は、既存の著作物と類似した著作物が生まれるのは極めて偶然に近いため、法的責任が問われる可能性は小さいと考えられます。

FIGURE 35 翻案権(著作権の支分権の1つ)の侵害が認められたイラスト

▼原告イラスト1

▼被告イラスト1

出所:東京地裁平成16年6月25日判決 別紙 原告イラスト目録、被告イラスト目録より
https://www.businesslawyers.jp/practices/304

FIGURE 36 画像生成 AI で作成された画像が他の画像に類似してしまった場合

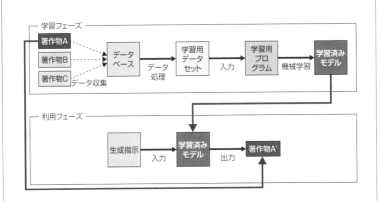

出所:https://storialaw.jp/blog/8820

AI イラストメーカー「mimic」の サービス停止

日本のAIイラストメーカーであるmimicが、ベータ版の公開からわずか1日でサービスを停止したという出来事がありました。ここでは、そこで生じた問題について見ていきます。

1 mimic とは

mimicは、イラストレーターをはじめとするクリエイター向けのAIイラストメーカーで、日本のRADIUS5という企業が運営しています。クリエイターは、mimicに30枚以上のイラストをアップロードすると、約2時間でAIがその人の画風を学習して、そのクリエイターの作風をベースにした独自の新しいイラストを生成してくれます。このサービスは、クリエイターが抱える問題を解決することを目的として開発されており、生成されたイラストの著作権は、イラストをアップロードしたクリエイターのものになる仕組みです。mimicの最初のベータ版は2022年の8月29日に公開されたのですが、ベータ版では不正利用を防ぐ仕組みが不十分であるとして、わずか1日でサービスを停止してしまいました。

2 なぜサービス停止になったのか

mimicは本来クリエイターを支援するはずのものでしたが、実際には「自分のイラストを他人に勝手にアップロードされてしまうのではないか？」「自分の画風が盗まれてしまうのではないか？」といった懸念の声が上がりました。

　サービスのガイドラインの禁止事項には、他人のイラストを勝手にアップロードしてはいけないことや、自分が描いたイラストや、自分が著作権を持つイラストだけをアップロードすることが書かれています。しかし、このガイドラインだけでは、著作権をめぐるトラブルを防ぐことは難しいとして、わずか1日でのサービス停止となってしまいました。

　ここまで著作権の問題について解説してきたように、日本の法律（著作権法第30条の4第2号）では、著作権者の利益を不当に害してはいけないという但し書きはあるものの、AI学習を目的にした著作物の利用が基本的に認められているため、ガイドラインで禁止したとしても、現行法では他人のイラストをAI学習に利用することに対して、法的な拘束力はありません。また、著作権の対象になるのは具体的な表現であり、画風や作風といった抽象的なアイデアは保護の対象にならないため、SNS上では「AI学習禁止」といった声も上がりました。

3 mimic ベータ版2.0の公開

　サービス停止の2カ月後に、運営元のRADIUS5は不正対策を強化したベータ版2.0を公開しています。ベータ版2.0では、ユーザーのTwitterアカウントが審査され、本人がイラストを描いていると判断されないとサービスが利用できない仕組みになっています。また、学習に利用されたイラストとmimicが作成したイラストの公開が必須となり、生成されたイラストには透かしが入れられる仕組みになっています。2023年の2月には、より便利な機能が追加された正式版がリリースされています。

AI イラストメーカーの mimic

mimic（ミミック）は AI を活用して描き手の個性が反映されたイラストメーカーを自動作成できるサービスです。30枚以上のイラストがあれば、ユーザー独自のイラストメーカーを作ることができます。

◀あるユーザーの
イラスト

AI

描き手の
イラストを
学習！

◀絵柄を学んだAIが
作った画像

出所：https://illustmimic.com/

画像生成 AI がもたらす倫理的な問題

画像生成AIは著作権の問題だけでなく、倫理的な問題とも関係しています。ここでは、画像生成AIで作られたフェイク画像の問題について解説していきます。

1 ディープフェイクとは

ディープフェイクという言葉を最近よく耳にするようになってきました。ディープフェイクとは、本来は機械学習アルゴリズムの1つである**ディープラーニング**を使用して、2つの画像や動画の一部を**スワップ**（交換）させて異なる画像や動画を作成する技術のことを意味します。しかし、世間でいわれるディープフェイクは、フェイク画像や偽動画のことを指すことが多いです。そのためディープフェイクは、現実の画像、動画、または音声を改変した偽の情報を本物のように見せかけて相手をだます方法として広く理解されています。米国では、Meta の CEO であるマーク・ザッカーバーグ氏や、元米国大統領のドナルド・トランプ氏らの偽動画が公開されるなど、サイバーセキュリティの世界でもディープフェイクが脅威となりつつあります。

2 台風の水害被害のフェイク画像

ディープフェイクを作り出すための AI ツールは、これまではプログラマーなどの専門的な知識を持った人でないと使いこなせませんでした。しかし、画像生成 AI が登場したことで、一般の人でも簡単にディープフェイクを作り出すことができるようになってしまいました。

日本でも、画像生成 AI を使ったフェイク画像が公開される事件がありました。2022年9月に、「ドローンで撮影した静岡県の水害の画像」と称した水害の様子を映した画像が Twitter 上で拡散されました。しかし、この画像は画像生成 AI で作った偽の水害画像でした。画像の投稿者は、この画像は Stable Diffusion で作られたものだと認めて謝罪をしましたが、こうしたフェイク画像は人々に不安を与え、社会に混乱をもたらす可能性があるため、決して許されるものではありません。

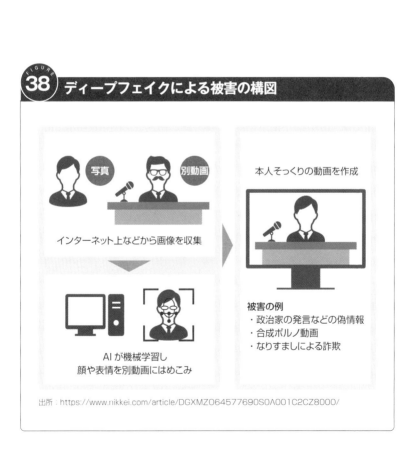

FIGURE 38　ディープフェイクによる被害の構図

写真　別動画

インターネット上などから画像を収集

＝

AI が機械学習し
顔や表情を別動画にはめこみ

本人そっくりの動画を作成

被害の例
・政治家の発言などの偽情報
・合成ポルノ動画
・なりすましによる詐欺

出所：https://www.nikkei.com/article/DGXMZO64577690S0A001C2CZ8000/

また、画像生成 AI を使ってポルノや生々しい暴力の画像などが生成されている事例もあり、画像生成 AI が倫理的に大きな問題へと発展する可能性もあります。こうした問題を防ぐため、Stability AI では、著名人の顔や有名なキャラクター、そしてヌードやポルノといった画像の生成を難しくしています。また、Midjourney もガイドラインで「本質的に無礼・攻撃的・その他の乱暴な画像」（アダルトコンテンツや暴力的なコンテンツを含む）の生成を禁止しています。実際、2023年3月には Midjourney でドナルド・トランプ前大統領が逮捕されたフェイク画像を生成した人物が、同社からサービスの利用禁止処分を受けています。ただし、こうしたサービス各社による規制を一種の検閲や表現の自由に対する重大な制約であるとして批判するユーザーもいます。画像生成 AI は、社会を良くするために本来使用されるべきですが、それが悪用されかねないという状況にも目を向けておく必要があります。

FIGURE 39 Stable Diffusion で作られたフェイク画像

午前4:39 · 2022年9月26日 · Twitter for Android

画像生成 AI をめぐる問題への対応

ここでは、画像生成AIをめぐる著作権の問題やフェイク画像の問題を解決するかもしれない動きやソリューションについて紹介していきます。

1 データセットから自分の作品を削除できる？

　前述したように、AI 学習を目的にした著作物の利用は法的に問題ありません。しかし、クリエイターの中には、自分の作品が AI 学習に使われていないかを心配する人も一定数存在しています。そこで公開されたのが、「Have I Been Trained?」と呼ばれるウェブアプリです。このアプリは、クリエイターの権利を守るために設立された団体である Spawning が開発したもので、クリエイターは Stable Diffusion の学習に使われたデータセットに、自分の画像が含まれているかを調べることができます。また、自分の作品を学習用のデータセットから削除することを Stable Diffusion に対して要求するオプトアウト機能もあります。

　Spawning やクリエイターたちのオプトアウト要求への対応として、Stability AI の設立者であるエマード・モスターク氏は、次のバージョンである Stable Diffusion 3.0のトレーニングデータセットから、クリエイターが自分の作品を削除できるようにすると発表しています。しかし、これが実際にどのように実施されるか、実行力を伴うものであるかは執筆時点ではわかっていません。

2 AI 生成画像判別システム

画像生成 AI で作られたフェイク画像の中には、人間が見て判別することが困難なほど精巧に作られたものも存在しています。こうした問題に対応するために、東京大学発のベンチャー企業であるNABLAS は、AI によって生成された画像を判別するシステムを開発しています。このシステムは、Stable Diffusion に対応しており、フェイクニュース対策やファクトチェックといった用途での活躍が期待されています。この AI 生成画像の判別システムは、NABLAS独自の検知技術を用いて算出されたフェイク度（0〜1の範囲で表され、0.5以上がフェイクと見なさる）によってフェイク画像の判別をします。

FIGURE 40 Spawning が Stability AI の対応を称賛する投稿

出所：https://twitter.com/spawning_/status/1603126330261897217

オープンソースとイノベーション

オープンソースとは、ソフトウェアを構成するプログラムであるソースコードを、無償で一般公開することを意味します。そうすることで誰でもそのソフトウェアの改良や再配布が行えるようになります。Stability AIは、Stable Diffusionをオープンソース化しているため、世界中の有志のプログラマーによって継続的にStable Diffusionが改良されています。

Stability AIがオープンソース化によって「AIの民主化」を目指す背景には、大規模な技術開発企業が自分たちの技術を独占し、AI業界でブレークスルーやイノベーションが起きにくい構造になっていることへの批判があります。Googleを含むAI開発企業は、社会への影響が大きすぎるというリスクから、自社で開発した画像生成AIのオープンソース化をしていません。もちろん、こうしたリスクへの懸念は重要ですが、特定企業が自分たちの権利としてソースコードを非公開にした場合には、その企業の限られた数のエンジニアのみしか開発に携わることができず、イノベーションが起きにくくなってしまいます。

一方でオープンソースの場合には、世界中の有志のプログラマーが異なる意見をぶつけ合うことで思いもよらなかった新しいアイデアが生まれるため、イノベーションが生まれる可能性が高まります。つまり、オープンソースの真の価値とは、無料で利用できるからではなく、そこにコミュニティが生まれて認知的な多様性が高まることで、共創が生まれることにあるといえます。実際、Stable Diffusionは2万人以上の開発コミュニティを形成しているという情報もあり、Stable Diffusion Videos、Diffusers Interpret、Japanese Stable Diffusionなど、Stable Diffusionから派生した新しいプログラムが次々と生まれています。

「早く行きたければ一人で行け、遠くへ行きたければみんなで行け」(If you want to go fast, go alone. If you want to go far, go together.) という諺があるように、オープンソースは、より長期的な視野でイノベーションを起こすための重要な戦略であるともいえます。

CHAPTER

4

画像生成AIの活用事例

このCHAPTERでは、画像生成AIがどのような分野や産業で活用される可能性があるかについて、具体的な事例とともに解説していきます。

活用事例①：コミック制作

出版分野では、Midjourneyなどの画像生成AIが積極的に活用される事例が出てきており、従来のコミック制作の工程を大きく変えるような可能性を秘めています。

1 画像生成 AI を使って制作されたコミック

　出版分野では、画像生成 AI を使って作成した絵を全面的に使用したコミック本が国内外で発表されています。海外の事例では、米国の制作会社である Campfire Entertainment が、『The Bestiary Chronicles』という SF コミックスシリーズを発表しています。これらの作品は、Midjourney を活用して作られた世界初のコミックスシリーズとされており、その繊細な描写は本物の人間のアーティストが描いたかのような印象を与えています。執筆時点では、5シリーズ発表されており、Campfire Entertainment のサイトから無料でダウンロード可能で、書籍版も販売されています。

　日本でも、作家・漫画原作者の Rootport 氏が Midjourney を用いて描いた『サイバーパンク桃太郎』と呼ばれる SF コミック作品を発表しています。Rootport 氏によると、AI が生成した絵には AI の持ち味があるため、今後は AI 漫画や AI 映画といった新しいジャンルが生まれるのではないかと述べています。

FIGURE 41 画像生成AIで制作されたコミック

画像生成AIを駆使した、新しいコミックの作り方が追求されています。

出所：https://campfirenyc.com/comics/（上）
Rootport『サイバーパンク桃太郎』（新潮社刊）（下）

2 画像生成 AI は人間の共同制作者

　Campfire Entertainment のクリエイティブディレクターである
スティーブ・コールソン氏は、画像生成 AI によるコミック制作を「人
間と AI によるジャズの即興」に例えながら、Midjourney を単なる
ツールではなく、共同制作者と捉えています。コールソン氏がこの
ように Midjourney を高く評価するのは、画像生成 AI がこれまでの
コミック制作の工程を大きく変える可能性を秘めているからです。

　従来のコミックの場合は、ストーリーの着想を得てから、そのス
トーリーに合う絵を人間のアーティストが描いていく流れが普通で
すが、画像生成 AI を使う場合は、AI が生成する何百もの画像を選
別しながら、コラージュのようにストーリーを組み立てていくとい
う逆のワークフローが用いられる可能性もあります。また、
Campfire Entertainment の制作チームは入力するプロンプトをい
ろいろ試しながら、最終的には画像編集ソフトウェアで画像の微調
節を行ったとのことですが、より積極的に AI を制作プロセスに取
り入れていることから、コールソン氏は、Midjourney の名称をこ
の作品の共同制作者として作品の表紙に記載しています。

　画像生成 AI は、クリエイターの仕事を奪うのではないかと心配
する声も多いですが、AI を共同制作者という形で捉えるという新し
いテクノロジーとの付き合い方が追求されているのは非常に興味深
いです。

活用事例②：映像制作

映像制作の現場でも、画像生成AIを活用することでクリエイターの生産性を高めて、彼らの時間をよりクリエイティブなことに使おうとする動きが出てきています。

1 映像制作の現場における問題

映像制作の現場では働き方改革や生産性向上の重要性が高まっています。その背景には、動画コンテンツの需要拡大とそれに伴う慢性的な人手不足があります。特に、アニメ業界では、作品数が増加傾向にあり、作品に要求されるクオリティが上がっていることで、人手が足りず、**作画崩壊**（アニメ作品の作画クオリティが著しく低下している様相）といった現象も起きています。このような状況の中で、画像生成AIをツールとしてクリエイターに提供することで、クリエイターの生産性を高めて、よりクリエイティブなことに時間を使えるようにすることを目指す動きが出てきています。

2 Netflix のアニメ「犬と少年」

Netflixは、2023年1月に『**犬と少年**』というタイトルのアニメをYouTubeで公開しています。このアニメは、3分ほどの短い動画ですが、全カットの背景画の作成に画像生成AIが活用されています。この映像は、クリエイターやアニメーション制作会社などへの支援を行うNetflixアニメ・クリエイターズ・ベースと、アニメ制作会社のWIT STUDIO、そしてAI開発企業のrinnaによる共同プロジェクトで制作されており、作品の内容には好意的な意見が集まっています。

画像生成技術は rinna が担っており、この作品のスタッフクレジット（エンドロール）では、背景デザインに AI（＋Human）と記載されています。監督、絵コンテ、原画などを担当した牧原亮太郎氏は、人間の手書きに画像生成 AI などの最新技術を組み合わせることで、クリエイターはより表現の幅を広げられるのではないかと期待しています。

　この取り組みには、画像生成 AI によって仕事を奪われるアニメーターが出てくるのではないかと危惧する声もあります。しかし、映像制作の現場の働き方や生産性の問題を解決するにはデジタル化に向けた設備投資が急務となっており、「クリエイターとテクノロジーがどのように共存していくべきか」は大きなテーマとなっています。

FIGURE 42　画像生成 AI を活用した Netflix の「犬と少年」

スタッフクレジットに
AIの表記が。

出所：Netflix アニメ・クリエイターズ・ベース「犬と少年」
　　　https://www.youtube.com/watch？v=J9DpusAZV_0

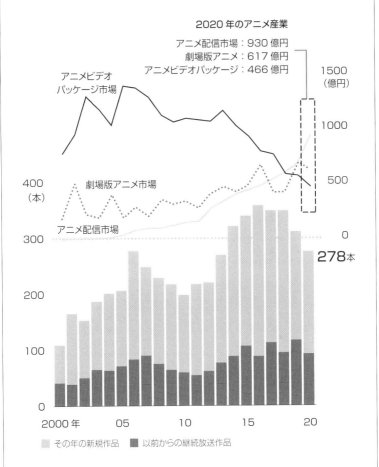

FIGURE 43 アニメ産業の動向

2020年のアニメ産業
アニメ配信市場：930億円
劇場版アニメ：617億円
アニメビデオパッケージ：466億円

アニメビデオパッケージ市場

劇場版アニメ市場

アニメ配信市場

1500 (億円)
1000
500
0

400 (本)
300
278本
200
100
0

2000年　05　10　15　20

▦ その年の新規作品　■ 以前からの継続放送作品

　2020年の国内におけるテレビアニメ制作本数は278本。制作本数自体はここ数年減少傾向にありますが、Netflixなどの動画配信サービスの普及でアニメ配信市場は過去最高の930億円を記録するなど、制作ニーズは引き続き高まっています。

出所：https://prtimes.jp/main/html/rd/p/000000517.000043465.html

活用事例③：ゲーム開発

ゲーム開発の分野でも背景やキャラクターなどの制作に画像生成AIが活用される事例が出てきており、ゲーム制作にかかるコストや時間を削減する可能性があります。

1 Echoes of Somewhere とは

画像生成 AI は、ゲーム業界でも背景制作や素材制作などに利用され始めており、ゲーム開発を効率化する技術として注目されています。ゲームデザイナーであるユッシ・ケンパイネン氏らは、画像生成 AI をゲーム開発の効率化にどのように活用できるかを実証するために、**Echoes of Somewhere** と呼ばれるプロジェクトを立ち上げています。

ケンパイネン氏は、2.5次元のポイントアンドクリックアドベンチャー（場所や物をクリックして調べたり、移動したりすることで物語を進める形式）の自作ゲームを開発しており、背景画像やキャラクターの制作に Midjourney や Stable Diffusion といった画像生成 AI を活用しています。同氏によると画像生成 AI を活用した場合、ゲーム開発における背景制作で3日、キャラクター制作で2日間の工数短縮ができたと試算しています。このゲームの開発は執筆時点でも継続しており、完成後は無料での公開が予定されています。

2 画像生成 AI を活用したゲーム開発の可能性

インディーゲーム（少人数・低予算で開発されたゲーム）を開発する Cute Pen Games でも、Stable Diffusion や Midjourney などの画像生成 AI をキャラクターの制作に利用した複数のゲーム作

品を発表しています。この開発者のゲームは簡単な操作で短い時間に楽しめるカジュアルゲームですが、画像生成 AI を利用することで、その制作効率が高まっていると考えられます。その一方で、ゲーム開発者の中には、画像生成 AI がゲーム開発で果たす役割は限定的で、**AAA ゲーム**（中堅・大手企業のゲームパブリッシャーが莫大な開発費を投じて作られたゲーム）の開発を大幅に短縮することは難しいのではないかという疑問の声もあり、今後の動向が注目されます。

FIGURE
44 画像生成 AI を活用したゲームの
Echoes of Somewhere

画像生成 AI によって背景画像
やキャラクターデザインの
制作を効率化できます。

ケンパイネン氏が画像生成 AI を用いて作成したゲームキャラクターのモデルシート

出所：https://echoesofsomewhere.com/2023/01/04/ai-assisted-graphics/

活用事例④：建築デザイン

建築の分野でも、画像生成AIを活用することでデザインプロセスの効率化やよりユニークなデザインを生み出すような事例が出てきています。

1 画像生成 AI を活用した建築デザイン

画像生成 AI は、建築分野にも活用されようとしています。英国の著名な建築家であるアーサー・マムー・マニ氏によると、「通常の場合、建築家は自分のアイデアをもとにスケッチをして、Rhinoなどの3DCAD ソフトウェアで建築物のモデリングをし、そしてレンダリングする必要がある」と説明しています。しかし、画像生成 AI であれば、アイデアが浮かんだらそれを文字に書き起こしてプロンプトとして入力するだけで、レンダリングした結果を得ることができてしまいます。もちろん細部などの微調整は必要になりますが、アイデアをすぐに具現化できるという点で、より高速な**イテレーション**（短期間での開発を繰り返すこと）が可能になります。

また、メキシコの建築家であるミチェル・ロイキンド氏は、画像生成 AI を用いて、眼科クリニックの建物デザインを生成しようとしています。ロイキンド氏は、完全に画像生成 AI に頼るのではなく、スケッチブックを使った建築デザインもこれまでどおり行っており、2つのデザイン手法を組み合わせることにこそ面白さがあると述べています。現時点では、画像生成 AI だけで完璧な建築デザインを生成することは難しいですが、これまでにない大胆なアイデアやインスピレーションを得る手段として画像生成 AI に期待を寄せる建築家が増えてきています。

2 Stable Diffusion を活用した建築デザイン支援ツール

日本のスタートアップ企業である mign では、2023年2月に Stable Diffusion を組み込んだ **studiffuse** というデザイン支援ツールを発表しています。従来、建築デザインの初期設計フェーズでは、建築デザイナーが顧客へのインタビューを実施して、顧客のリクエストを反映したプランを作成して、複数回のフィードバックを受けながらデザインを修正するといったプロセスをたどっています。そのため、このプロセスには多くの手間やコミュニケーションのコストがかかっています。mign が開発した studiffuse では、デザイナーや顧客が入力したキーワードや参照画像をもとに、理想の建物画像を生成したり、AI が生成した画像の類似画像を検索エンジンから探してリスト化したりできます。そうすることで、デザイナーと顧客との間のコミュニケーションコストを削減することが可能です。

FIGURE
45 Stable Diffusion を活用した建築デザイン支援ツール

出所：https://prtimes.jp/main/html/rd/p/000000013.000100410.html

95

活用事例⑤：インテリアデザイン

インテリアの分野でも、画像生成AIを活用することでより独創的な内装や家具のデザインを生み出すような事例が出てきています。

1 画像生成 AI を活用したインテリアデザイン

画像生成 AI を駆使したインテリアデザインを試みる人たちも出てきています。アートディレクターのカレン・X・チェン氏は、エンジニアのジャスティン・アルヴィー氏とともに、Stable Diffusion を活用してインテリアデザインの画像を生成する事例を紹介しています。2人は、Stable Diffusion のバージョン2.0の新機能である「**Depth-Guided**」というモデル（参照画像から新しい画像を作り出す img2img の機能を強化するもので、入力画像の奥行きを推測して画像を出力できる）を利用することで、簡易的なインテリア模型の画像とテキストのプロンプトをもとに、Stable Diffusion に様々なインテリアデザインを提案させています。

例えば、図（右上）のような木製のドールハウス家具の参照画像に、「A beautiful rustic Balinese villa, architecture magazine, modern bedroom, infinity pool outside, design minimalism, stone surfaces」（美しい素朴なバリのヴィラ、建築雑誌、モダンなベッドルーム、屋外のインフィニティ・プール、ミニマリズムデザイン、石の表面）のようなテキストのプロンプトを組み合わせることで、理想のインテリアをデザインしています。

2 画像生成から3D モデル生成 AI へ

　建築やインテリアは空間デザインであるため、2D の画像を生成する AI（**text to 2D**）ではその活用に限界があります。そのため、最近ではテキストから3D を生成する AI（**text to 3D**）も登場しています。例えば、Google Research と UC Berkeley の研究チームが発表した **DreamFusion** は、テキストから3D を生成できる AI を開発しています。

46 Stable Diffusion を活用したインテリアデザイン

プロンプトを組み合わせて理想のインテリアをデザイン。

右）上が入力した参照画像で、下がその画像から生成した深度マップ
左）参照画像とテキストのプロンプトをもとに Stable Diffusion が生成した
　　画像

出所：https://twitter.com/justLV/status/1605284233190473728

この AI は、ラベル付けされた3D データを用意して学習させると
いった必要がないことが大きな特徴です。DreamFusion は、
Google が 開 発 し た Imagen と 呼 ば れ る 画 像 生 成 AI と、
DeepDream（夢のような幻覚的な画像を生成するコンピューター
ビジョンプログラム）を用いることで、様々な角度からの2D 画像
を出力し、これらの画像をベースにして3D モデルを生成します。
このような3D モデルの生成 AI が普及すれば、AI を活用した建築
やインテリアのデザインが大きく飛躍することが期待されます。

FIGURE 47　DreamFusion でテキストから生成された3D モデル

> テキストから3Dモデルを
> 生成することを text-to-3D
> と呼びます。

出所：https://dreamfusion3d.github.io/

CHAPTER 4 6 活用事例⑥：広告クリエイティブの作成

マーケティングや広告分野では、画像生成AIはクリエイティブの作成を効率化するという形で、マーケティング活動を効率化させる可能性があります。

1 画像生成 AI がマーケターの仕事に与える影響

従来のマーケターは、**クリエイティブ**（広告掲載するために制作された画像や動画、キャッチコピーなどの素材）の制作をデザイナーに依頼して、チラシ、テレビ CM、ウェブ広告などのメディアに出稿して、顧客の認知度向上から購買行動への誘導を行ってきました。そして、ウェブ広告については、**CTR***や**CVR***などの数値をもとに、その広告の効果を判断してきました。画像生成 AI は、これからのマーケターの仕事をどのように変化させるのでしょうか？

まず、画像生成 AI を活用すると、マーケターはデザイナーと協業しながら欲しい画像をより簡単に生成できるため、広告クリエイティブの制作効率を高められます。その結果、より多くの広告パターンをテストすることが可能になり、広告の効果を高めることにつながります。また、画像生成 AI の登場によってマーケターに求められる能力も変化してくる可能性があります。例えば、画像生成 AI によって、単純作業から解放されると、数字では測れない顧客のインサイトを、現場でのコミュニケーションを通じて直接つかむといった人間にしかできない仕事に、より多くの時間を割けるようになるかもしれません。

---

* **CTR** クリック率。ユーザーに広告が表示された回数のうち、広告がクリックされた回数の割合。
* **CVR** コンバージョン率。広告をクリックしたユーザーのうち、コンバージョンに至った比率を表す数値。

② Midjourney を用いたバナー広告の作成

　ウェブマーケティング支援サービスを展開する**株式会社ガラパゴ**
スでは、従来のバナー広告で使用していたフリー素材画像を
Midjourney で生成した画像に変更して、Facebook 広告で運用し
たところ、CTR（クリック率）が1.8倍に向上したと報告しています。
同社によると、CTR の測定にあたっては、表示回数などを同一にし
た厳密な AB テスト*を実施したわけではではないですが、優位な
差は確認されています。もちろん、画像生成 AI で生成すればより
効果的なクリエイティブを制作できるというわけではなく、プロン
プトエンジニアリングでより効果的な画像を上手く生成する必要が
あります。また、広告で用いられることの多いフリー素材は、他社
でも利用できてしまいますが、画像生成 AI であればオリジナルの
クリエイティブを簡単に作成して、独自の広告を展開できるメリッ
トがあります。同社で作成された画像も、複数回の試行錯誤を経て
作成されたものであり、広告の独自性も高くなっています。

　さらに広告のクリエイティブ画像だけでなく、キャッチコピーの
文章もAIが自動生成してくれるサービスも登場しています。例えば、
Catchy と呼ばれる AI 企業では、商品やサービスの名称や特徴な
どを入力するだけで、マーケティングで使えそうなキャッチコピー
の候補を複数出力してくれるサービスを提供しています。同社の
サービスは先ほど紹介した GPT-3 （OpenAI が開発する自然言語
処理システム）を活用しています。

---

* **AB テスト**　ウェブサイトや広告の一部を変更したパターンを用意し、どちらが高い成果を出せるかを比較・検
証する方法。

48 画像生成 AI の広告への活用例

▼フリー素材を使った従来のバナー広告　　▼Midjourneyで生成した画像に差し替えた広告

▼バナー広告用の画像を作成するために複数回試行錯誤して作成された画像

> プロンプトを複数回変更することでより効果的な画像を作成。

画像提供：株式会社ガラパゴス

活用事例⑦：自動車のデザイン

自動車産業では、コンセプトカーのデザインに画像生成AIが活用される事例が出てきており、新車の開発工程をより加速させる可能性があります。

1 画像生成 AI を活用したコンセプトカーのデザイン

　自動車の意匠（特に車両全体のデザイン）に対して、愛着を感じている消費者は数多く存在しています。実際、自動車を購入する際にデザインが決め手となることも少なくありません。そこで、完全自動運転 EV の開発に取り組むスタートアップ企業の**Turing 株式会社**は、産業向けのデザイン開発を行う**株式会社日南**と共同で、画像生成 AI を活用したコンセプトカーのデザインを発表しています。

　両社は、まずデザインの方向性を協議した上で、プロンプトに用いるキーワードを抽出し、Stable Diffusion を用いてベースとなるデザイン案を複数枚生成しています。そして、プロンプトの調整などの微修正を行った上で、2次元のデザインイメージを完成させました。最終的にこの2次元データは、デザイナーによる3DCG モデリングやレンダリングの工程を経て、3次元データに変換され、走行アニメーション、フルカラーの3D プリントスケールモデル、VRや AR コンテンツにまで仕上げられました。こうして制作されたコンセプトカーのデザインは、未来感があり、先進的なスタイルだと好評を得ています。

2 Zero-1-to3モデル

　トヨタ自動車も画像生成AIに関心を示し始めているようです。同社の研究機関であるトヨタ・リサーチ・インスティテュートとアメリカのコロンビア大学の共同研究チームは、物体の画像を1枚入力するだけで、その物体を異なる角度や視点から見た高精度な画像を生成できるAIモデルの**Zero-1-to-3**を発表しています。このAIは拡散モデルを使用して、カメラの視点制御を学習したモデルで、様々な視点から見た物体の画像を組み合わせることで、その物体の完全な3Dモデルを再構成することが可能です。研究チームは、このAIモデルが自動車開発にどのように活用されるかには言及していませんが、車両全体だけでなく、部品などのデザイン開発の効率化にも活かされるかもしれません。

FIGURE 49 Turing のコンセプトカー

画像生成AIを駆使しながら、デザインされた未来感のある車両デザイン。

画像提供：Turing 株式会社、株式会社日南

50 Zero-1-to-3モデル

options の項目から入力する画像を選択できます。

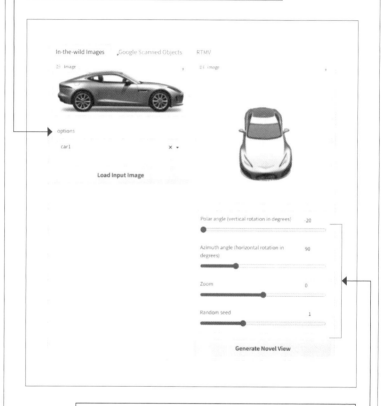

これらのスライドバーから、生成する画像の垂直方向の角度、水平方向の角度、ズームを設定することで、視点を変えることができます。

　Zero-1-to-3の公式ページでは、テスト画像を使用して異なる角度の画像を出力させられるデモを公開しています。

出所：https://zero123.cs.columbia.edu/

活用事例⑧：医療画像の作成

医療分野では、まだ研究段階ですが、プライバシー保護の理由から不足している医療画像の生成に、画像生成AIが活用される可能性があります。

1 脳の MRI 画像の生成

英国のキングス・カレッジ・ロンドンやアメリカ国立精神衛生研究所などの専門家からなる研究チームは、「Brain Imaging Generation with Latent Diffusion Models」（潜在拡散モデルを用いた脳画像の生成）という論文を2022年9月に発表しています。現在の医療用画像のプロジェクトでは、プライバシー保護の観点から大規模なデータセットが利用できないという課題があります。実際、一般公開されている医療データセットは数千件までに制限されており、最先端の医療が臨床に導入されるのを遅らせています。

そこで同研究チームでは、画像生成 AI でも使われている潜在拡散モデルを用いることで、脳の MRI 画像を大量に生成し、プライバシーが保障された医療用の大規模な脳合成データセットを作成する手法を提案しています。研究成果として、同研究チームは10万枚からなる生成した脳画像のデータセットを公開しており、このような研究が進めば、以前は収集が難しかった訓練用の脳画像データを豊富に入手できるようになり、医療の発展に貢献する可能性があります。

2 胸部 X 線の生成

　希少な肺疾患を研究するスタンフォード大学のポスドク研究員で胸部放射線科医の Christian Bluethgen 氏は、同大学の工学部の計算数理工学研究所（ICME）の大学院生である Pierre Chambon 氏と共同で、Stable Diffusion を活用して、胸部 X 線の医療画像を生成しようとしています。Bluethgen 氏らは、Stable Diffusion を微調整したモデルによって実物そっくりの肺の異常を映した放射線画像を生成することに成功しています。このモデルには、臨床的な正確さや法律的な観点での課題が残されていますが、希少疾病の理解や新しい治療法の開発につながる可能性があります。

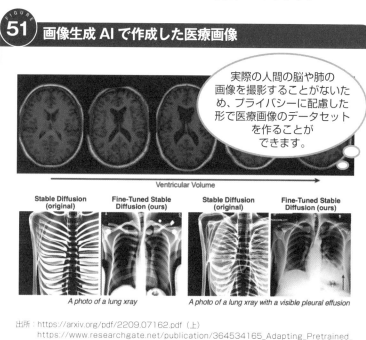

FIGURE 51 **画像生成 AI で作成した医療画像**

出所：https://arxiv.org/pdf/2209.07162.pdf（上）
　　　https://www.researchgate.net/publication/364534165_Adapting_Pretrained_Vision-Language_Foundational_Models_to_Medical_Imaging_Domains（下）

Column

人間と AI が共存するには

2015年の野村総研とオックスフォード大学の共同研究では、「日本の労働人口の約49%が10年～20年後に技術的にはAIやロボット等で代替可能になる」という結果を発表しています。この発表から8年ほど経過していますが、AIなどのテクノロジーが人間の仕事を奪う時代に私たちは本当に向かっているのでしょうか？

2020年のレポートで、世界経済フォーラムは、「2025年までに、データ入力やアドミンのような単純作業である8,500万の仕事が機械などに代替される一方で、データサイエンティストのような機械やアルゴリズムとの協働が求められる新しい仕事が約9,700万創出される」という興味深い予測を発表しています。この予測は、自動化や省力化によって失われる仕事の数よりも、AIやロボットとの協働によって新しく生み出される仕事の数の方が多いため、総合的に見れば私たちに新しい労働機会をもたらしてくれると解釈することもできます。本書のテーマである画像生成AIで見ても、クリエイターの仕事が奪われるという懸念がある一方で、プロンプトエンジニアというAIとの協働が求められる仕事が生まれようとしており、人間が従事する仕事や役割がシフトしていくと捉える方が適切のように思います。

しかし、ここで問題になるのは、AIやロボットによって代替可能な仕事に従事している人が、新しく創出される仕事に就くためのスキルを持ち合わせているわけでないことです。このスキルのミスマッチが、人間とAIの共存を実現する上での大きな課題になると考えられます。近年、リスキリングや**アップスキリング**そして**アウトスキリング**といった言葉を耳にするようになりました。これらは、私たちはいまある仕事に今後もずっと従事できるわけでないので、時代の変化に合わせて常に新しいスキルや能力を身に着けていかなければいけないことを示唆しています。AIは常に学び続けて賢くなっていますが、私たち人間も現状に留まることなく常に学び続けて自身をアップデートさせていくことが、人間とAIが共存できる時代に向かっていく中で重要なことの1つではないでしょうか？

MEMO

CHAPTER

5

代表的なサービスと
その使い方

このCHAPTERでは、これまで紹介してきたMidjourney
やStable Diffusionなどの代表的な画像生成AIの特徴や具
体的な使い方について解説していきます。

Midjourney ①

ここでは、Midjourneyの概要と基本的な使い方について説明していきます。

1 Midjourney とは

Midjourney は、Leap Motion（現在は Ultraleap）の共同創設者であるデビッド・ホルツ氏が率いる AI 研究チームが開発した画像生成 AI で、フォトリアリスティックな画像の生成を得意としています。Midjourney はフリーミアムモデルを採用したサービスで、無料アカウントであれば約25枚まで無料で画像を生成することができます。約25回としているのは、Midjourney では生成される画像枚数ではなく、生成にかかった時間やコンピューターリソースで消費量が算出されるためです。そのため、画像1枚の生成により多くのリソースがかかった場合は生成できる枚数が減ります。

また無料プランの場合は、生成された画像は非商用利用のみ可能です。有料プランは、Basic Plan（月額10ドルで約200枚まで生成可能）、Standard Plan（月額30ドルで無制限に生成可能）、Pro Plan（月額60ドルで無制限に生成可能）の3つが用意されています。Standard と Pro の主な違いは、Fast GPU（高速で画像を生成する機能）が使える時間が異なる点です。有料プランの場合は、生成した画像の商用利用が可能です。

② Midjourney の始め方

Midjourney は、**Discord** と呼ばれるチャットアプリ上で動くサービスのため、Midjourney を始めるには、Discord のアカウントを作成する必要があります。Discord は、メールアドレス、ユーザー名、パスワードを入力するだけで簡単に登録することができます。Discord アカウントの作成後は、Midjourney のトップ画面にある「Join the beta」のボタンを押すと招待を受けることができ、Midjourney の公式サーバー（Discord 内の招待制のコミュニティ）に参加できます。無料アカウントで初めて Midjourney を利用する場合は、「newbies-○」と書かれているルームに入り、画面の一番下のメッセージ入力欄に、「/imagine」というコマンドを入力します。そうすると、プロンプトを入力できるようになり、プロンプト入力後に Enter を押すと画像の生成が開始されます。画像は1分ほどで生成され、1つのプロンプトに対して4パターンの画像が自動生成されます。

なお、2023年3月には最新バージョンの Midjourney V5が登場しており、これまで画像生成 AI が不得意であった手の描写も自然なものになってきています。また、執筆時点では、新規ユーザーの急増や無料トライアルの乱用を受けて、Midjourney では無料プランへのアクセスを一時停止しています。

❶ Discord のアカウントを作成後、Midjourney の公式サイトの「Join the beta」をクリックする。

❷ Midjourney の公式サーバーに招待されるので、「招待を受ける」をクリックする。

❸ 「newbies-○」と書かれているルームに入り、画面の一番下のメッセージ入力欄に、「/imagine」というコマンドを入力すると、プロンプトを入力できるようになる。

❹プロンプトを入力すると、1分ほどで画像（4パターンの画像）が生成される。

出所：https://midjourney.com/home/

Midjourney ②

Midjourneyでは、様々な機能やパラメーターを駆使することで、よりクオリティの高い画像を生成することができます。

1 生成する画像のクオリティを高める

Midjourney で生成された4パターンの画像の下には9つのボタンが出てきます。U1〜 U4のボタンを押すと、指定した番号の画像の解像度を上げることができます。そして、V1〜 V4のボタンを押すと、指定した番号の画像と類似したデザインの画像を新しく4枚生成します。また、反時計回りの矢印のボタンを押すと、入力したプロンプトでもう一度新しい4枚の画像を生成し直します。

さらに、Midjourney では様々なパラメーターを設定することで、生成される画像を微調整することもできます。例えば、参照画像にインスピレーションを受けて画像を生成する場合は、参照したい画像をチャットに送信して、その画像のリンクをコピーします。そして、「/imagine」のコマンドの直後に、コピーしたリンクを張り付けて、その後ろにプロンプトを入力します。最後に、「--iw ○」を入力すると、アップロードした画像の影響度（入力したプロンプトに対する参照画像の重み）を指定できます。（○には、0.25や0.5といった数字が入ります）また、「--quality ○」というパラメーターをプロンプトの後ろに入力することで、画像の詳細な部分まで描くかを調整できます。例えば、「--quality 2」と入力した場合は高品質の画像が生成される一方で、生成にかかる時間やコストが2倍かかります。他にも図で紹介しているようなパラメーターがあります。

2 生成した画像をシェアする

　Midjourney で生成した画像を Twitter などの SNS でシェアするには、生成した画像を一度自分のデバイス本体に保存した上で、アップロードする必要があります。

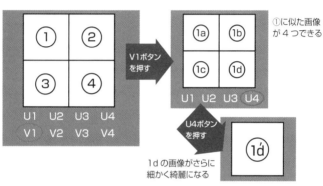

53 Midjourney で画像のクオリティを高める方法

①に似た画像が４つできる

V1ボタンを押す

U4ボタンを押す

1d の画像がさらに細かく綺麗になる

▼ Midjourney で利用できるパラメーター

パラメーター	説明
--iw 数値	入力したプロンプトの文章に対する参照画像の影響度（重み）を指定できる（例：--iw 0.5）
: : 数値	プロンプトに含まれるそれぞれの単語や文章をどれほど重視するかを設定できる（例：hot dog : : 1.5 food : : -1）
--w 数値 --h 数値	画像の幅と高さを指定できる。ただし数値は64の倍数のみ（例：--w 1920, --h 1080）
--aspect 比率	画像の比率を指定できる（例：--aspect 16：9）
--quality 数値	画像の詳細な部分まで描画するかどうかを調節できる（例：--quality 1.5）
--stylize 数値	数値を高くするとより独創的な画像を出力できる（例：--stylize 20000）

出所：https://kigyolog.com/article.php？id=1690
　　　https://kuina.games/1103-2/#index_id4

にじジャーニー

> にじジャーニーは、Midjourneyをベースとしたアニメ調の画風に特化した画像生成AIで、基本的にはMidjourneyと同じ使い方で利用できます。

1 にじジャーニーとは？

にじジャーニーは、米国のイラストレーションプラットフォームである Spellbrush と Midjourney が共同開発した AI モデルを採用した画像生成 AI です。このサービスは、「にじ」（2次元）という名前にあるようにアニメ調に特化したモデルになっており、生成される画像は、マンガやアニメのような二次元イラスト調になるのが大きな特徴です。基本的な使い方は Midjourney と同じで、チャットアプリの Discord を利用します。Discord 上のチャネルには、「# はじめに」があり、そこに基本的な使い方や注意書きが記されています。

2 にじジャーニーの使い方

実際に画像生成を行うには、「# 画像生成」というチャンネルに移動します。「# 画像生成1」から「# 画像生成5」まで複数ありますが、どれを選んでも問題ありません。「# 画像生成」のチャンネルに入ったら、画面下のメッセージ入力欄に「/imagine」と入力すると、プロンプトが入力できるようになります。にじジャーニーでは日本語でプロンプトを入力することが可能ですが、実際には AI が日本語を英語に変換してから画像を生成しているため、イメージどおりの絵が出ない場合もあります。

にじジャーニーには無料トライアルがあり、GPU タイム25分間
（デフォルト設定の生成で約40枚）分の生成が可能です。それ以上
の画像を生成するはサブスクリプション登録が必要になります。

にじジャーニーのサブスクリプションプラン

	無料トライアル	ベーシックプラン	スタンダードプラン	プロプラン
月額料金	-	10ドル	30ドル	60ドル
年額料金*	-	96ドル (8ドル×12ヶ月)	288ドル (24ドル×12ヶ月)	576ドル (48ドル×12ヶ月)
FastGPUタイム	0.4時間 (25min)	3.3時間 (200min)	15時間/月	30時間/月
RelaxGPUタイム*	-	-	無制限	無制限
FastGPUタイムの追加購入	-	4ドル/1時間	4ドル/1時間	4ドル/1時間
ダイレクトメッセージ上での生成	-	✓	✓	✓
ステルスモード	-	-	-	✓
最大キュー	同時実行Job数3 キュー待機Job数10	同時実行Job数3 キュー待機Job数10	同時実行Job数3 キュー待機Job数10	同時実行FastJob数12 同時実行RelaxJob数3 キュー待機Job数10
使用権	CC BY-NC 4.0	一般商用利用*	一般商用利用	一般商用利用

*__年額料金__　支払いは1年分をまとめて請求
*__GPUタイム__　実際の時間経過ではなくGPUの計算処理に必要な時間コスト
*__一般商用利用__　購読を開始すれば自由に画像を利用できる

出所：https://discord.com/channels/1017943945214435438/1073408553404092446

Stable Diffusion (DreamStudio)

ここでは、Stable Diffusionを用いた画像生成AIである DreamStudioの概要と基本的な使い方について説明していきます。

1 DreamStudio とは

DreamStudio は、Stability AI が開発する Stable Diffusion を用いた画像生成 AI のサービスで、ウェブ上で使えるため高性能な PC がなくても簡単に画像を生成することができます。DreamStudio は、公式サイトからメールアドレスとパスワードを登録するか、Google または Discord アカウントを連携することで始められます。無料トライアルでは100クレジットが付与され、デフォルトの設定では500枚の画像を無料で生成することができます。ただし、画像サイズや画像処理の回数などの指定によって、1枚の画像生成に必要なクレジットの消費量が変わってきます。無料のクレジットを使い切った場合は、クレジットを購入する必要があり、1,000クレジット（約5,000枚の生成）が10ドルで提供されています。なお、DreamStudio で作成した画像の著作権はユーザーに帰属しますが、その権利はパブリックドメイン（CC0 1.0 Universal Public Domain Dedication）になると説明されています。つまり、商用利用も可能で誰でも自由にその画像を利用することができます。

2 DreamStudio の使い方

DreamStudio では、トップページ下側の入力フォームにプロンプトを打ち込み、「Dream」というボタンを押すことで画像を生成

することができます。画面右側には、画像の属性を調整できる機能がついています。具体的には、画像の幅と高さの調整（WidthとHeight）、プロンプトにどれくらい忠実な画像を生成するかの調整（Cfg Scale）、画像生成処理における段階数の調整（Steps）、そして生成する画像の数の調整（Number of Images）などがあります。また、参照したい画像とプロンプトを入力することで、よりイメージに近い画像を生成できる img2img 機能も搭載されています。さらに、画面左側のサイドメニューにある「Prompt Guide」には、画像を上手く生成するためのコツを説明したチュートリアルが書かれています。

FIGURE 55　DreamStudio の使い方

「An oil painting of a panda by Leonardo da Vinci and Frederic Edwin Church, highly-detailed, dramatic lighting」というプロンプトを入力。画像の縦横を512×512で正方形、Cfg scape を10、Steps を50、Number of Images を4に設定。

出所：https://beta.dreamstudio.ai/membership？tab-home
　　　https://kai-you.net/article/84547

NovelAI

NovelAIは、Stable Diffusionをベースとした画像生成AIで、日本のアニメや漫画のようなキャラクターの画像生成を強みとしています。

1 NovelAI とは

NovelAI は AI を活用した文章や画像の自動生成サービスで、米国の Anlatan が運営しています。サービス名のとおり、もともとは小説を自動生成する AI として2021年6月にベータ版が公開され、2022年10月には画像生成機能が追加されています。小説生成では、OpenAI の文章生成言語モデルである GPT を採用しており、文章を入力することで AI が続きの文章を予測して書いてくれます。画像生成は、Stable Diffusion をベースにしており、テキストを入力して画像を生成する txt2img の機能と、参照画像をもとに画像を生成する img2img の機能があります。

NovelAI は、日本のアニメや漫画のキャラクターのような画像生成が得意で、日本や海外で大きな注目を集めています。特に中国では、NovelAI でイメージどおりの特徴を出力するためのプロンプトとネガティブプロンプトをまとめた**元素法典**と呼ばれるテクニック集が有志のコミュニティによって作成されています。

2　NovelAI の使い方

　NovelAI は、フリートライアルと、3種類のサブスクリプション（月額10ドルの Tablet、月額15ドルの Scroll、月額25ドル Opus）を用意しています。画像生成をするには、3種類のいずれかのサブスクリプションに加入する必要があります。加入すると、Anlas と呼ばれる通貨が配布され、画像一枚を生成すると、約5Anlas が消費される仕組みになっています。例えば、Tablet と Scroll では毎月1,000 Anlas が付与されるので、約200枚の画像が生成できますが、画像の修正やクオリティの高い画像の生成には、より多くの Anlas が必要です。NovelAI のユニークな機能には、生成した画像の編集・加工（Edit Image）、類似画像の生成（Variations）、高画質化（Enhance）などがあります。また、NovelAI では使用可能なモデル（NAI Diffusion）が3種類あり、生成したい画像の種類や傾向によって変更できます。

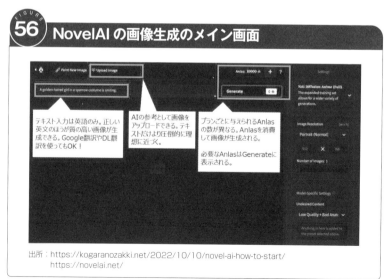

56　NovelAI の画像生成のメイン画面

出所：https://kogaranozakki.net/2022/10/10/novel-ai-how-to-start/
　　　https://novelai.net/

お絵描きばりぐっどくん・AIピカソ

お絵描きばりぐっどくんやAIピカソは、Stable Diffusionをベースとした画像生成AIで、LINEや専用アプリから気軽に使えるサービスになっています。

1 お絵描きばりぐっどくん

お絵描きばりぐっどくんは、学生エンジニアの西野颯真氏が開発した LINE チャットボット（運営は西海クリエイティブカンパニー）で、Stable Diffusion の機能を LINE 上で手軽に利用することができます。2022年8月にリリースされてから約1カ月で3,000万枚の画像を生成しており、執筆時点では250万人以上の登録ユーザーがいます。お絵描きばりぐっどくんは、同サービスの LINE アカウントを友だち登録するだけで利用可能で、トーク画面で作成したい絵のプロンプトをメッセージで送信すると、生成された画像が返ってきます。日本語と英語での入力が可能で、幅広い種類の画風に対応しています。

また、ポスターのような風景画やアニメ調のキャラクターなどのイラストに特化した「イラストお絵描きばりぐっどくん」という兄弟サービスも登場しています。1日に絵を描いてもらえる回数は1アカウント10回までで、それ以上は翌日まで利用を待つか、プレミアムメンバー（月額550円）に加入すると無制限で画像を生成することができます。

② AI ピカソ

　AI ピカソは、AIdeaLab が開発する AI お絵描きアプリ（iOS と Android で利用可能）で、Stable Diffusion をベースとしています。2022年8月に公開されたこのサービスは、テキストから画像を生成できるだけでなく、画像の一部を塗りつぶして、その部分を AI に描かせたり、簡単なラフ画（下絵）の続きを AI に描かせたりすることもできます。2022年末には、人気イラストサイトの「いらすとや」と提携して、いらすとや風の画像を生成することができる「AI いらすとや」もリリースされ、各種 SNS やメディアで大きな話題となりました。

　また、2023年1月には、アプリで被写体の顔写真を10枚〜20枚読み込むと、顔の特徴をそのままにした写実風のイラストが生成される AI アバターをリリースしています。AI アバター画像は、自分の理想の姿を描けるということもあり、SNS のプロフィール画像に利用するといったニーズが高まっています。さらに同年2月には、AI ピカソの新機能として「AI ペット」をリリースしています。この機能では、犬や猫などのペットの写真を10〜20枚アップロードすると10〜30分ほどで、そのペットの特徴そのままの写実風のイラストが出力され、普段とは違うペットの姿を楽しめます。AI ピカソは、サービス利用中に広告を見ることを要求される無料版と、広告なしで画像生成を無制限に利用できる Pro 版（1週間600円か年間3600円）があります。

FIGURE 57 お絵描きばりぐっどくん

出所：https://page.line.me/877ieigs？openQrModal

© 株式会社西海クリエイティブカンパニー

FIGURE 58 AI ピカソ

画像提供：AI ピカソ

TrinArt

TrinArtは、小説生成AIであるAIのべりすとの画像生成機能です。Stable Diffusionをベースとしつつ、生成したい画像のスタイルや種類によってモデルを使い分けることができます。

1 AIのべりすととは

AIのべりすととは、ゲームクリエイターのSta氏が開発したAIによる文章・小説作成アプリケーションで、2021年7月から公開されています。このウェブ上のアプリに、数行の文章を日本語で書き込むと、セリフの口調や文脈にあった物語の続きをAIが自動で書き続けてくれます。ユーザーは、AIが作成した文章を加筆することで、簡単にオリジナルの小説を作ることができます。

AIのべりすとは、TPU（Googleが開発した機械学習を高速化するプロセッサ）と、Mesh Transformer JAX（EleutherAIが公開している自然言語処理AIのフレームワークでGPT-3に相当）を利用して、文庫本に換算すると174万冊分の知識を学習しているAIです。無料アカウントでも利用できますが、出力回数などに制限があります。プレミアム会員（月額970円のボイジャー、月額1650円のブンゴウ、月額2980円のプラチナの3種類）に加入すると、出力回数に制限がなくなり、より幅広い機能が利用できます。

② TrinArt とは

TrinArt は、AI のべりすとの付加機能にあたる画像生成ツールで、執筆時点ではアルファ2.0版（テスト版）が公開されています。このツールは、Stable Diffusion をベースとしていますが、2次元画像の生成が特に強化されており、柔らかいタッチのイラストを得意としています。TrinArt の使い方は、他のツールと同様にテキストボックスにプロンプトを入力して、「絵を描く」というボタンを押すだけで、画像が生成されます。生成される画像1枚につき、ルミナと呼ばれるポイントが消費されます。無料アカウントの場合は、初めにルミナが何ポイントか付与されており、それを使い切った場合は追加で購入する必要があります。執筆時点では、500ルミナ（720円）から販売されています。

TrinArt には、プロンプトの一部を強調または抑制できる重みづけの機能、プロンプトから除去したい要素を指定できるネガティブプロンプト機能、プロンプトをどれだけ生成する画像に反映させるかを調整できる機能などがあります。また、TrinArt で特徴的なのは、生成したい絵の作風によって複数のモデルを使い分けることができる点です。モデルには、アニメ・マンガ調も絵画調も描ける多彩なモデルの「スーパーとりん」、キャラクター特化の「スーパーでりだ」、でりだをフラットなデザインに特化させた「でりだ♭フラット」の3つがあります。また、描画モードでは、描画の精度が高い構図が出やすくなる「精度モード」か、より幅広い構図が出やすくなる「構図モード」を選択できます。

FIGURE 59 Trin Art の機能

◀ TrinArtのメイン画面

　右下の歯車のボタンを押すとより詳細な設定（下記参照）を行うことができる。

項目名	説明
モデル／プロンプトタイプ	「スーパーとりん」「とりん＋自動調整」「スーパーでりだ」「でりだ＋自動調整」「でりだ♭フラット」「でりだ♭＋自動調整」の6つから選択できる。
描画モード	「精度モード」では描画の精度が高くなりやすい構図が出やすくなり、「構図モード」ではより幅広い構図が出やすくなる。 ※「でりだ♭フラット」「でりだ♭＋自動調整」では選択できない。
拡張プリセット	ネガティブプロンプトによる補正を行う。
画像の幅	出力画像の幅を256pxから1152pxの間で64px刻みで設定できる。
画像の高さ	出力画像の高さを256pxから1152pxの間で64px刻みで設定できる。
ステップ数	画像の内部での生成回数。 大きくするほど整った画像が出やすくなるが、処理時間が長くなる。
プロンプトの強さ／濃さ	与えたプロンプト（テキスト）をどのくらい画像に反映されやすくするかの度合い。
重ね描き／img2imgの強さ	数値が低いほど元の画像に近い形で出力される。
スタイルソフテナ	影響力が強いトークンを弱める程度の設定。最大で約1/6になる。使用することで構図が固定されがちなトークンがある場合に使うと良い。

連続出力枚数 （バッチ）	指定枚数分だけ、連続で画像を出力する。固定シードや重ね描きの場合は、この設定にかかわらず常に1枚しか出力されない。 最大256枚まで指定できるが、スマホのようなメモリの少ない環境の場合、途中でブラウザが停止する可能性がある。
固定シード	ここに任意の数値を指定すると、他のパラメータ（テキストや画像サイズ、モデルなど）を変えない限り、同じ画像が出力される。「🔄」ボタンを押すと、直前に生成した画像のシード値になる。
サンプラーの設定 （上級者向け）	「k_lms(太めの線／とりん推奨)」「euler(厚塗り向け)」「euler_ancestral(細めの線／でりだ推奨)」「heun」から選択できる。
出力画像を トリムする	生成画像の周囲にできた単色の領域（レターボックスのような黒枠など）を削除する。
重ね描きを2x アップスケールする	重ね描きをする際に、画像の幅／高さが2倍になるように拡大する。
img2imgの設定	「参考にする画像のURL」に一般に公開されている画像のURLを指定する、または、「元画像をアップロード」でローカルに存在する画像ファイルを選択すると、その画像をベースにして、プロンプトに沿うように画像を生成する。
コンテント フィルター	不適切な画像（R-18の疑いがあるなど）が出力されそうなとき、それを表示しないようにする。 チェックを入れていると猫とトマトの画像が出る。 なお、チェックを外しても画像の保存はされないままであるので、必要なら生成時のパラメータとエラーメッセージとともに表示されるシード値をメモしておこう。 ※🗗チェックを外すときの警告のとおり、利用規約に触れるような内容が生成された場合それを共有・公開することは禁止である。

上記の情報は、AIのべりすとの非公式 Wiki に掲載されている内容です。

出所：https://ai-novel.com/art/
　　　https://wikiwiki.jp/ainove_wiki/TrinArt

DALL・E 2①

DALL・E 2は、OpenAIが開発した画像生成AIです。プロンプトから画像を生成するだけでなく、生成した画像を編集・加工できる機能が備わっているのが大きな特徴です。

1 DALL・E 2とは

　DALL·E 2は、OpenAI が2022年4月に発表した画像生成 AI で、2021年1月に発表された DALL・E の後継モデルに当たります。ちなみに、**DALL・E** というのは、シュルレアリスムの代表的作家であるサルバドール・ダリと、ピクサーとディズニーが製作した CG アニメーション映画で有名になったロボットの WALL·E を掛け合わせた造語になっています。

　DALL・E 2はクリエイティブな画像を出力できる点が特徴です。例えば、「馬に乗った宇宙飛行士」、「科学者のパンダ」、「フェルメール風のラッコ」といった実在しないような画像でも、自然な写真に近い形で生成してくれます。また、プロンプトによる画像生成に加えて編集機能にも長けています。例えば、画像内の任意のオブジェクトを追加・削除したり、画風を変更したりもできます。

　なお、悪用防止のため、暴力的・性的な表現や実在する人物の画像などは生成できないよう制限がかけられていますが、DALL・E 2で作成された画像は商用利用が認められています。

2 DALL・E 2の使い方

DALL・E 2を利用するには、公式サイトでアカウントを作成する必要があります。執筆時点では、メールアドレス、Google アカウントまたは Microsoft アカウントが登録に使用できます。DALL・E 2は無料で利用することもできますが、画像生成の回数に制限があります。プロンプトを1回入力すると、4枚の画像が出力されますが、この作業には、1クレジットが必要になります。無料アカウント登録時に50クレジットが与えられ、毎月15クレジットが追加で与えられますが、翌月には持ち越すことができません。それ以上のクレジットを使う場合には、クレジットを追加で購入する必要（15ドルで115クレジット）があります。

DALL・E 2の使い方はシンプルで、メイン画面の上部のテキスト入力欄にプロンプトを入力して、Generate というボタンを押すだけです。

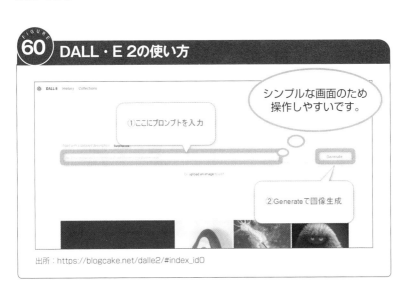

FIGURE 60 DALL・E 2の使い方

出所：https://blogcake.net/dalle2/#index_id0

129

また Variations というボタンを押せば、生成された画像の構図やテイストを維持した別のバリエーションが生成されます。

　さらに、Edit というボタンを押せば、**Inpainting**（画像の一部を削除して、削除した部分を AI によって補修・編集する）と**Outpainting**（生成した画像のフレームの外側を AI によって描き足して画像を拡張する）というユニークな機能を利用することができます。

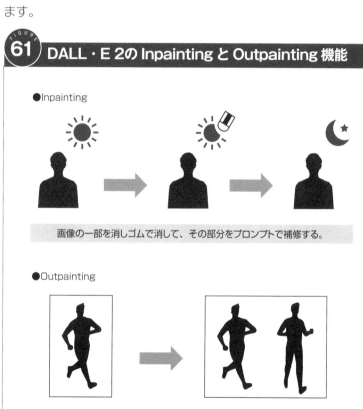

FIGURE 61　DALL・E 2の Inpainting と Outpainting 機能

●Inpainting

画像の一部を消しゴムで消して、その部分をプロンプトで補修する。

●Outpainting

画像の枠外に新しい要素をプロンプトで描き足す。

出所：https://blogcake.net/dalle2/#index_id0

CHAPTER 5 9 DALL・E 2②

OpenAIは、DALL・E 2の機能を様々なアプリやサービスに組み込むことができるようにAPI提供を開始しており、画像生成AIの活用の幅がさらに広がる可能性があります。

1 DALL・E 2の API

OpenAI は、2022年11月に DALL·E2の API 提供を開始しています。API とは、アプリケーション同士の連携のことで、開発者は自分のアプリに DALL·E 2を組み込むことができます。DALL・E 2の API を利用する場合には、画像の解像度に応じて生成される画像ごとに料金がかかります。例えば、1024×1024ピクセルの解像度の場合は1画像当たり2セントかかります。

前述したように、Microsoft はこの API を利用して、デザインツールの Microsoft Designer と検索エンジンである Bing の機能である Image Creator に DALL・E 2を採用しています。他にも、アパレルデザインの作業をデジタル化するプラットフォームの CALA も、同社のソフトウェアに DALL・E 2を API 連携することを発表しています。CALA のソフトウェアを使うユーザーは、何十種類もある商品テンプレート（例：ブラウス）から選択した上で、「黒い」、「上品な」、「柔らかな」といった形容詞や、「ロゴの縫い付け」のようなイメージの具体的な特徴をテキストで入力します。そうすると、CALA のソフトウェアは、DALL・E 2の機能を使って、6つの商品デザインの例を生成します。ユーザーは、AI が生成したデザインを修正していくことで、より効率的に自分の美的感覚に近いデザインを仕上げることができます。

2 Craiyon（旧称：DALL・E Mini）

Craiyonと呼ばれる画像生成AIがあります。これは、機械学習エンジニアのBoris Dayma氏らが開発したもので、もともとはDALL・E Miniという名称でした。ただし、OpenAI公式のDALL・EやDALL・E 2とは別物であるので、誤解を避けるために現在ではCraiyonに改名されています。このサービスには、無料版（広告表示や生成にかる時間などの制限あり）と有料版（月額5ドルのSupporterと月額20ドルのProfessional）がありますが、使い方は同じで、テキスト入力欄にプロンプトを入力して、「Draw」というボタンを押すだけで画像が生成されます。Craiyonは他のAI画像生成サービスと比較すると、生成される画像に一貫性がない場合や、予測不可能な画像が生成される場合があります。

FIGURE 62 DALL・E 2をAPI連携したCALA

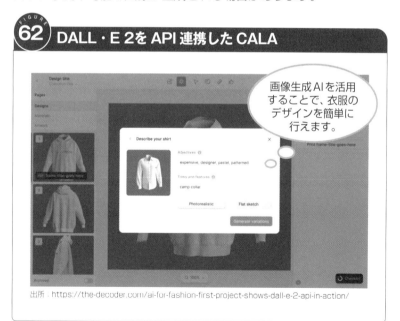

> 画像生成AIを活用することで、衣服のデザインを簡単に行えます。

出所：https://the-decoder.com/ai-for-fashion-first-project-shows-dall-e-2-api-in-action/

Dream by WOMBO

Dreamはプロンプトと選択可能なアートスタイルによって生成したい画像のイメージを指示することができます。また、生成画像をNFT化できるといったユニークな特徴も持っています。

1 Dream とは？

カナダのスタートアップ企業である WOMBO は、2021年11月に **Dream** と呼ばれる画像生成 AI をリリースしています。このサービスは、PC ブラウザだけでなく、iOS と Android にも対応しており、スマホでも利用することができます。Dream では、プロンプトで生成したい画像を指示するだけでなく、リアリスティック、アニメ風、ジブリ風、ファンタジーアート風、浮世絵風、コミック風などの多彩なアートスタイルが用意されています。そのため、細かな指示をプロンプトで与えなくても、より自分のイメージに近い画風やスタイルを実現できることが1つの特徴となっています。

2 Dream のユニークな機能

このサービスは、アカウント登録することなく無料で利用することができます。また、月額10ドル、年間90ドル、または永久版170ドルの3つの方法から選択できるプレミアム版では、無料版では利用できない機能にアクセスすることができます。プレミアム版限定の機能には、無料版にはないアートスタイルへのアクセス、チャットアプリである Discord 上での画像の生成、同じプロンプトから4枚の異なる画像の生成（無料版では1枚のみ）、生成した画像をベースとした類似画像の生成などが含まれます。

その他の機能では、任意の画像をアップロードすることで、その画像を参照して新たな画像を生成することもできます。参照する度合いは、弱・中・強の3レベルで調整できます。

　また、メタマスクなどの仮想通貨ウォレットを接続することで、自分が保有しているNFTアートを参照画像として利用することも可能です。さらにDreamで生成された画像は、ダウンロードして保存するだけでなく、印刷した絵として注文したり、NFT（非代替性トークン）として発行したりすることもできます。生成した画像の利用条件についてですが、基本的にはユーザーが著作権および知的財産権を含むすべての権利を保有することになっており、商用利用することが可能です。ただし、利用規約には、WOMBOはユーザーが生成した画像を販促活動のために利用することができると記されています。

FIGURE **63** Dreamのメイン画面（ウェブ版）

プロンプトで指示しなくても、画風をアートスタイルのリストから選択できます。

出所：https://dream.ai/create

Canva

グラフィックデザインツールのCanvaにも、画像生成AIの機能が搭載されています。

1 Canva とは？

Canva とは、2013年にリリースされたオーストラリア発のグラフィックデザインツールで、オンライン環境のウェブブラウザのほか、アプリ上でも利用することができます。無料プランと有料プランがありますが、無料プランでも十分に利用できることから、全世界で1億人に利用されています。

グラフィックデザインツールといえば、後述する Adobe の Photoshop が有名ですが、このツールは有料で誰でも使いこなせる簡単なツールではありません。しかし、Canva は操作が簡単で様々なテンプレートが用意されているため、専門知識がなくても、SNS の投稿画像、チラシ、ロゴ、プレゼンテーション、ポスター、動画など、様々なコンテンツを作成できます。

2 Canva の画像生成 AI 機能

Canva には、コンテンツ作成に使用可能な画像や動画の素材が豊富に用意されていますが、イメージどおりの素材が見つからない場合もあります。そこで、Stable Diffusion をベースにした画像生成 AI 機能（Text to Image）を2022年11月から提供しています。この機能を利用するには、まずデザインを作成するページの左側にあるアプリメニューから、「Text to Image」を選択します。そう

すると、テキストのプロンプトを入力する欄が現れます。そこに、生成した画像のイメージをテキスト（英語でも日本語でも可）で入力して、「Generate Image」（イメージを生成）のボタンをクリックすると、4パターンの画像が生成されます。このとき、「映画的」、「写真」、「レトロアニメ」、「水彩画」といったスタイルを選択することも可能です。また、画像の縦横比を正方形、横長、縦長から選ぶこともできます。

Canvaでは、画像を生成してからでも自由に加工や編集が可能で、各種調整機能（明るさ、明暗、彩度等）、フィルター、切り抜き、反転、透明度、アニメートなどがあります。また、画像に様々なスタイルのテキストを追加することもできます。

FIGURE 64 Canva の Text to Image 機能

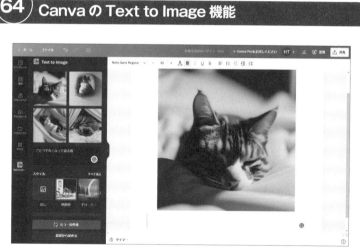

「こたつで丸くなって寝る猫」というテキストのプロンプトを入力し、「映画的」のスタイルを選択して生成した画像。生成した画像のみをダウンロードすることも可能ですが、そのまま Canva 上で画像の加工・編集を行うこともできます。

出所：https://www.canva.com/

Adobe Firefly

クリエイティブツールを提供するAdobeも、独自の画像生成
AIサービスであるFireflyを発表しており、クリエイターの創作活
動を支援しようとしています。

1 Firefly とは？

Adobe は、同社の画像生成 AI サービスである **Firefly** をベータ版
として提供しています。現時点では、テキストから生成した画像の
スタイルやテイストを調整したり、テキストにエフェクトをかけたり
する機能が搭載されています。将来的には、動画クリップの雰囲気
をテキストで指示することで変えるといった機能も計画されていま
す。例えば、夏に撮影した動画素材を、冬のシーンに変更するといっ
たことが可能になる予定です。Firefly は、執筆時点ではウェブサイ
トでの利用のみ可能ですが、今後は Photoshop（画像編集アプリ）
を含む Creative Cloud（グラフィックデザインおよび動画編集、ウェ
ブデザインのアプリケーションソフトウェアのサブスクサービス）
のデスクトップアプリからも利用できるようになるとされています。

2 Firefly の合法性とクリエイターへの還元

Firefly は、Adobe Stock（ストックフォトサービス）のコンテ
ンツ、オープンライセンスコンテンツ、著作権が切れたパブリック
ドメインコンテンツを AI モデルの学習に使っており、同社は、コ
ンテンツの合法性に課題を抱えていないと主張しています。そのた
め、ユーザーは生成した画像などを商業目的で利用することができ
るようになると期待されています。

また、Adobe は、プロのクリエイターが自分の作品を収益化できるような機会や仕組みづくりを目指しています。詳細はまだわかっていませんが、AI の学習にクリエイターがストック素材を提供した場合、Firefly が生成した画像から得られる収益の一部をクリエイターも享受できるような方法を検討しています。他にも、クリエイターのコンテンツを AI の学習に使用されないようにする「Do Not Train」というタグや、AI が生成したコンテンツだと分かるようなタグを付ける機能が搭載される予定です。

⑥⑤ Firefly の機能

▼テキストにエフェクトをかける

入力したテキストに、自分のイメージに合わせてエフェクトをかけられる。例えば、「Firefly」というテキストに対して、「many fireflies in the night, bokeh effect」をイメージしたエフェクトをかけるようにテキストで指示することができます。

▼動画の雰囲気を変更する

動画の雰囲気をプロンプトで変更できます。

出所：https://dc.watch.impress.co.jp/docs/news/1487599.html（上）
　　　https://blog.adobe.com/jp/publish/2023/03/21/cc-bringing-generative-ai-into-creative-cloud-with-adobe-firefly（下）

一般公開されていない 画像生成 AI

　CHAPTER 5では、一般公開されている画像生成AIのサービスを紹介していきました。しかし、画像生成AIの中には、現時点では一般利用に適さないとして外部ユーザーの利用を許可していないものもあります。その代表例として挙げられるのが、Googleが開発しているImagen、Parti、Museと呼ばれる画像生成AIです。

　2022年5月に発表されたImagenは拡散モデル（Diffusion Model）をベースにした画像生成AIで、Googleは、DALL・E 2よりも人間に好まれる画像を作れると主張しています。また、同年7月に発表されたPartiは、Pathways Autoregressive Text-to-Image（自己回帰によるテキストから画像への変換）の略で、解析するパラメーター（学習素材）が多いほど、よりリアルな画像を生成できます。Googleは、パラメーターが最大200億個に達するまでクオリティは向上すると述べています。そして、2023年1月に発表したMuseは、量子化された学習用の画像のセットを使用した、拡散モデル（Imagen）や自己回帰モデル（Parti）よりも効率化されたAIモデルです。そのため、競合するStable Diffusionやよりも、1画像当たりの生成時間が短くなっています。

　高性能な画像生成AIを次々と発表しているGoogleですが、Imagenの一部機能を限定公開している以外は、一般公開していません。その理由には、画像生成AIが、フェイクニュースやリベンジポルノに容易に悪用される危険性があることが挙げられます。また、AIの学習に利用されるウェブ上のデータセットには、社会的な偏見や人種差別的なコンテンツが含まれており、人種差別を助長する可能性があることも懸念されています。このように画像生成AIに慎重なアプローチをとっているGoogleですが、もしこれらの画像生成AIが一般公開された場合には、より大きな変化がもたらされるかもしれません。

MEMO

ジェネレーティブAI
のこれから

このCHAPTERでは、これまで紹介してきた画像生成AI
が今後どのように進化していくか、そしてジェネレーティブ
AI市場全体がどのような可能性を秘めているかについて解説
していきます。

画像生成 AI から動画生成 AI へ①

画像生成AIはまだ未成熟な市場であり、新しいサービスや機能が続々と登場しています。ここでは、その一例としてテキストをもとに動画を作成するAIについて紹介していきます。

1 画像生成 AI から動画生成 AI へ

画像生成 AI はさらなる進化を遂げており、テキストから動画を生成する AI も登場しています。2022年6月に、中国の清華大学の研究チームが簡単なテキストの入力をベースにして動画を自動作成する機械学習モデルを発表しています。CogVideo と呼ばれるこのモデルでは、例えば、「A man is skiing.」（男性がスキーをしている）というテキストを入力すると、男性が雪上をスキーで滑る様子の動画（480×480ピクセルの32枚のフレームで構成された毎秒8フレームの4秒間の動画）を出力します。

画像生成 AI から動画生成 AI というのは自然な流れの進化といえますが、動画とその内容を説明したキャプションがペアになったデータセットの収集や学習は容易ではありません。なぜなら、そのようなデータセットは少ない上、動画は時間的に連続しているため、キャプションが動画中の何の情報を説明しているのかを AI が正確に学習することが難しいからです。同研究で提案された CogVideo は、540万組の動画とキャプションのペアデータで学習した94億のパラメーターを持つ Transformer（機械学習モデルの手法の1つ）ベースの動画生成 AI になっており、テキストと動画の意味を上手く整合させることに成功しています。

2 動画生成 AI に参入する Meta

　Metaも、2022年9月に **Make-A-Video** と呼ばれる動画生成AIを発表しています。このAIは、キャプション付きの画像を用いて、世の中の事象がどのように見えるか、どのように説明されることが多いかを学習します。そして、ラベル付けされていない動画を使って、それらの事象の動きを学習します。公式サイトでは、「A dog wearing a Superhero outfit with red cape flying through the sky」（スーパーヒーローの赤いマントを着て空を飛ぶ犬）というテキストをもとに生成された短い動画が紹介されています。Make-A-Videoでは、画像を入力情報として扱うことも可能で、その画像の前後の時間軸の画像を生み出し、それらの画像をつなげて動画を生成します。さらに、動画を入力情報として、そのオリジナル動画の特徴を反映させた別の新しい動画を生み出すこともできます。

FIGURE 66 CogVideo のイメージ

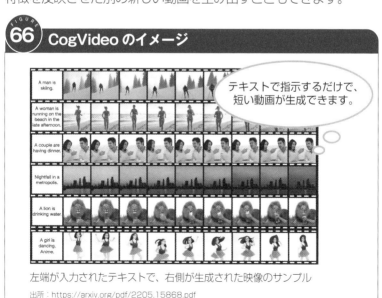

左端が入力されたテキストで、右側が生成された映像のサンプル

出所：https://arxiv.org/pdf/2205.15868.pdf

画像生成 AI から動画生成 AI へ②

Googleは、テキストから動きが滑らかな高解像度の動画を生成するImagen Videoを開発し、Runwayは動画から別の動画を生成するVideo to Videoを考案しています。

1 動画生成 AI に参入する Google

　Google の研究チームである Google Research は2022年10月に動画生成 AI である **Imagen Video** を発表しています。この動画生成 AI は、まず入力された短いプロンプトを T5と呼ばれる自然言語処理モデルで処理します。次に、画像生成 AI の Imagen をベースにした拡散モデルで、毎秒3フレームで16フレーム（約5.3秒）の低解像度の映像（24×48ピクセル）を生成します。そして、時間的超解像度（TSR）モデルで各フレームの間を埋める画像を追加して、空間的超解像度（SSR）モデルでフレームを拡大することで、最終的に毎秒24フレーム（24fps）で128フレーム（約5.3秒）の高解像度の映像（1280×768ピクセル）に変換します。ちなみに、**フレーム**とは動画のもとになる静止画像の1コマ1コマのことで、1秒間当たりに表示されるフレームの数を**フレームレート**（単位は **fps**＊）といいます。映画の場合は24fps が一般的で、フレームレートが大きいほど、動きが滑らかで綺麗な動画になります。

＊ fps　frame per second の略。

Imagen Videoのモデルとソースコードは公開されていませんが、公式サイトでは様々なサンプル動画が公開されています。例えば、「a teddy bear washing dishes」（お皿を洗うテディベア）というプロンプトを入力することで作成された動画では、テディベアがクレイアニメ（被写体を主に粘土を材料として作成）のような作風で表現されていて、皿を洗う水の流れが自然に表現されています。さらに、Google Researchでは、Imagen Videoの発表と同時にもう1つの動画生成AIであるPhenakiを発表しています。Phenakiは、Make-A-VideoやImagen Videoよりも長い文章で2分以上のストーリー性のある動画を生成できることが特徴です。

2 既存の動画を新しい動画に変換する Runway

ジェネレーティブAIの開発企業であるRunwayは、テキストや参照画像を入力し、任意のスタイルを指定することで、既存の映像を新しい映像に変換できるGen-1と呼ばれるAIモデルを発表しています。同社では、この技術をVideo to Video（動画から動画へ）と呼んでいます。Gen-1では、例えば、「男性が腕を素早く動かしている既存の実写動画」に、「アメコミ風のマグマ・ヒーロー」の参照動画を与えると、「腕を素早く動かすマグマ・ヒーローの動画」が生成されます。他にも、「薄茶色の毛の犬が歩いている動画」に「白い毛と黒い斑点の犬」というプロンプトを与えると、犬の毛の色と模様が修正されて、「ダルメシアンの動画」に変換されます。

また2023年3月には、Gen-1の機能を拡張させて、テキストから映像を生成するGen-2を発表しています。

FIGURE 67

Imagen Video

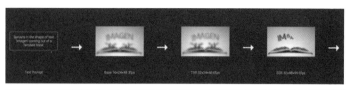

　動画生成の大まかな流れ：入力された文章を自然言語処理 AI「T5」で処理し、拡散モデルで24×48ピクセル、毎秒3フレームの16フレームの映像を生成します。これを「時間的超解像度（Temporal Super-Resolution）」と「空間的超解像（Spatial Super-Resolution）」というモデルでアップサンプリングして、最終的に1280×768ピクセル、毎秒24フレームで128フレーム（約5.3秒）の映像を生成します。

出所：https://imagen.research.google/video/

FIGURE 68

Gen-1に搭載された動画生成の5つのモード

①スタイライゼーション	あらゆる画像やプロンプトで指示したスタイルを、新しいビデオのすべてのフレームに適用できる。
②ストーリーボード	モックアップ動画を手本として、新しい別の動画を生成することができる。
③マスク	動画の中の任意の被写体部分を範囲指定し、簡単なテキストプロンプトでその被写体の特徴を修正することができる。
④レンダリング	画像やプロンプトを使って、単純なポリゴンでできたモデルにテクスチャを貼ることで、リアルな動画を生成できる。
⑤カスタマイズ	モデルをカスタマイズすることで、Gen-1の能力を最大限に発揮し、より忠実な結果を得ることができる。

画像生成 AI から動画生成 AI へ③

イスラエルのD-IDは、Creative Reality StudioというAIアバター生成サービスを開発しており、ユーザーはテキストから生成したAIアバターがしゃべる動画を作成できます。

1 しゃべる動画を生成する D-ID

ジェネレーティブ AI を開発するイスラエル企業の D-ID は、2022年12月にジェネレーティブ AI のビデオプラットフォームである **Creative Reality Studio** を開発しています。このサービスは、テキストなどから生成した AI アバターが任意の文章を話す動画を生成するというものです。Stable Diffusion を統合しているため、ユーザーは自分好みの AI アバターをテキストから生成することができます。他にも、あらかじめ用意された顔画像やアップロードした顔画像から AI アバターを作ることも可能です。

さらに、文章生成言語モデルの GPT-3を採用しているため、AIアバターにしゃべらせたい内容を生成することができます。例えば、PC の説明をアバターに話させたい場合は、「PC とは何ですか?」と入力することで、PC を説明する文章を自動で生成してくれます。AI アバターと文章が用意できたら、AI アバターが119の言語でその文章を自然な形で読み上げてくれる動画コンテンツを生成することが可能です。読み上げる音声は、様々な声色やスタイルから指定できます。

2 Creative Reality Studio の可能性

Creative Reality Studioは、動画コンテンツ制作にかかるコストと手間を大幅に削減することができます。例えば、マーケティング、セールス、人材トレーニングなどに携わるビジネスユーザーが、カスタマイズされた動画コンテンツを簡単に作成したり、映画制作者、広告代理店、イラストレーターなどのクリエイターが効率的に動画素材を作成したりといったことが可能になります。

また、独自のオンライン家系図を作成するサービスを提供するイスラエル企業のMyHeritageは、先祖などの古い写真に写っている人物の顔を動かすことができる **Deep Nostalgia** と呼ばれるサービスを発表しています。このサービスの裏では、D-IDのディープラーニング技術が動いており、写真の故人をまるで生きていると思わせるような、頭や目の動きや表情を再現することが可能です。

69 **Creative Reality Studio**

> テキストで自分好みの
> AIアバターを生成して、その
> アバターに任意の言葉を話さ
> せることができます。

出所：https://www.d-id.com/creative-reality-studio/

様々なジェネレーティブ AI の登場

ここまでは、画像生成AIの進化について詳しく解説してきました。ここからは画像生成AI以外のジェネレーティブAIの種類とその代表的なサービスについて紹介していきます。

1 マルチモーダル AI

画像生成 AI は、ここ数年で飛躍的な進化を遂げています。しかし、専門家らは、画像生成 AI はジェネレーティブ AI の進化の入り口にすぎず、今後さらなる AI 革命が起きると予測しています。例えば、英国の AI 開発企業 DeepMind の研究部長であるライア・ハドセル氏は、**マルチモーダル**なジェネレーティブ AI の進化に期待を寄せています。

マルチモーダルとは、数値、テキスト、画像、音声、動画などの複数の種類からなるデータのことです。従来の AI は、画像のみやテキストのみを学習して処理を行うなど、一種類のデータから得た情報をもとに学習しており、こうした AI は**シングルモーダル AI** と呼ばれています。最近では、**マルチモーダル AI**（Multimodal AI）という言葉も登場しており、これは、複数の種類のデータを組み合わせたり、関連付けたりして学習できる AI モデルを意味します。

ちなみに、人間は、視覚・聴覚・触覚・味覚・嗅覚という五感からの複数の情報を組み合わせて、あらゆる判断を行うため、マルチモーダルな知能といえます。

画像生成 AI は、画像とテキストという2種類のデータを処理する点で、マルチモーダル AI と呼ぶこともできますが、今後は他の種類のデータを扱うジェネレーティブ AI と組み合わさったり、融合したりしながら、より高度なマルチモーダル AI へと進化していくと考えられます。

2 ジェネレーティブ AI の種類

扱うデータの種類をベースにジェネレーティブ AI を分類すると、「視覚メディア生成」「文書生成」「音声・音響生成」「コード・プログラム生成」に大きく分けることができます。

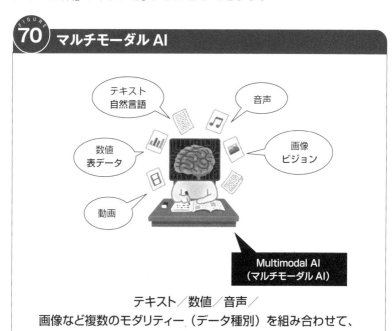

FIGURE 70　マルチモーダル AI

テキスト／数値／音声／
画像など複数のモダリティー（データ種別）を組み合わせて、
関連付けて処理できる単一の AI モデル

出所：https://atmarkit.itmedia.co.jp/ait/articles/2207/04/news016.html

画像生成 AI は、画像や映像を扱う「視覚メディア生成」に含まれます。また、それ以外にもゲーム、小売、ヘルスケアなどの「業界に特化したジェネレーティブ AI」も登場しています。

　CHAPTER1で紹介したように、ジェネレーティブ AI は幅広い業界や分野での活用が検討されていますが、投資銀行の Goldman Sachs が2023年3月に発表したレポートでは、世界全体で最大で3億人もの雇用がジェネレーティブ AI の影響を受ける（雇用が取って代わられるよりも、補完される部分が大きい）可能性があると予測しています。次の節からは、これらのカテゴリーに沿って、ジェネレーティブ AI の種類と代表的なサービスについて紹介していきます。

FIGURE 71　ジェネレーティブ AI のカテゴリー

視覚メディア生成	Stable Diffusion や Midjourney など、画像、映像、3Dアニメの生成を行う AI
文書生成	高度な自然言語処理の技術を用いた文書の要約、ストーリーの生成、マーケティングコンテンツの自動作成を行う AI
音声・音響生成	人間に近い音声を生成したり、作曲や、ゲームや映像向けのサウンドトラックの作成を行ったりする生成 AI
コード・プログラム生成	自然な言葉による指示をプログラミング用語に変換することで、プログラミング作業を自動化できる AI
業界特化の生成AI	ゲーム、教育、ヘルスケアなどの業界に特化した生成 AI

出所：https://www.nikkei.com/article/DGXZQOUC193LE0Z11C22A2000000/

視覚メディア生成

視覚メディア生成AIのスタートアップ企業は、AIを使った画像や3D素材の生成だけでなく、顔と声の合成や、顔の匿名化などに取り組んでいます。

1 画像や3D素材の生成

画像生成 AI は、Stable Diffusion や Midjourney といった代表的なサービス以外にも、**NightCafe**、**Photosonic**、**Artbreeder**、**StarryAI** などのサービスが登場しています。また、モバイル写真編集アプリの **Lightricks** のように、自社製品に画像生成 AI を機能の一部として組み込むサービスも増えてきています。さらに、AI を使って2D の画像や映像から3D の物体や場面を作る企業も出てきています。例えば、**Mirage** はユーザーが入力したテキストの内容をゲームや映像向けの3D 素材やメッシュ（立体を表現するデータ形式の一種）、テクスチャ（立体表面の質感を表す画像データ）に自動で変換することができるサービスを開発しています。

また、Alpha AR や Vizcom は、2D のスケッチから3D オブジェクトをつくるサービスを開発しています。3D 素材の自動生成技術が普及すれば、ゲームや映像の開発プロセスにかかる時間を短縮し、リテール企業も自社の3D 商品カタログを簡単につくることができるようになります。

2 顔と声の合成

リップシンク（映像の唇の動きと発せられる音声が連動している状態）をより自然に合成したり、顔や体と声を合成したりする技術

を開発する企業も登場しています。**Flawless AI**は、吹き替え言語に合わせて映像の俳優の口の動きを同調させる技術を映画産業などに向けて提供しています。また、**Tavus**は、顔や声のクローン技術を活用することで、すでに録画したセールスパーソンのプレゼンテーションの内容を顧客ごとにパーソナライズした形に変換できる技術を開発しています。さらに、**Synthesia**は、俳優（アバター）に台本や原稿などのスクリプトを読み上げてもらうことができるサービスを開発しており、60カ国以上の言語や地域ごとのなまりにも対応しています。TanvusやSynthesiaなどのツールがあれば、営業向けのコンテンツをより簡単にカスタマイズし、教育向けのコンテンツを効率的に制作することができます。

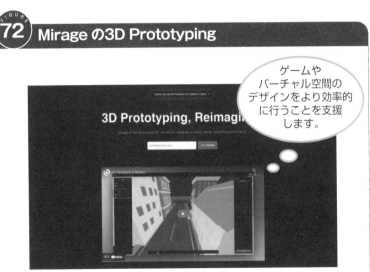

FIGURE 72 **Mirage の3D Prototyping**

> ゲームやバーチャル空間のデザインをより効率的に行うことを支援します。

映像やゲームの中に出現させたいオブジェクトを文字で入力するだけで、その3D素材をすぐに呼び出すことができます。

出所：https://www.mirageml.com/

153

EUの**一般データ保護規則（GDPR）**など、世界中でプライバシー保護規制が拡がりを見せる中で、映像を匿名加工することで個人情報を守るようなサービスも出てきています。

brighter AIは、映像内の個人情報を自動で検出して、映像の質を落とすことなく、匿名加工するソリューションを提供しています。brighter AIに用いられる**Deep Natural Anonymization**と呼ばれる技術では、年齢、性別、マスク着用の有無といった属性情報を維持したまま、個人を特定できてしまう顔を、合成した本物のような顔に置き換えることができます。この技術は、顔の匿名化だけでなく、車のナンバープレートの匿名化にも活用されています。brighter AIは、国内では株式会社マクニカなどによってサービス展開されています。

FIGURE
73 brighter AI の Deep Natural Anonymization

従来のモザイクのような匿名加工では失われてしまっていた属性情報を維持したまま、個人を特定してしまう顔などの情報を守ることができます。

画像提供：株式会社マクニカ

文書生成

文書生成AIのスタートアップ企業は、AIを使ってマーケティングや営業向けコンテンツの生成、カスタマーサポート対応、文章の要約などの作業を自動化することに取り組んでいます。

1 マーケティング・営業向けコンテンツの生成

文書生成 AI は、自然言語処理（NLP）の技術の飛躍的な進化によって幅広く利用されるようになってきています。その代表的なアプリケーションがマーケティングや営業向けコンテンツの自動生成です。例えば、Jasper はマーケティングコンテンツを自動生成できる AI ライティングツールで、売り込みたい商品の名称や概要、文章の口調などの情報を入力するだけで、ブログ記事、SNS 投稿、Google 広告といった幅広いメディア向けのコンテンツを自動で作ることができます。類似のサービスには、copy.ai や Copyrytr、Writesonic などがあります。

営業チーム向けのツールでは、Lavender と呼ばれるメールコーチングプラットフォームが登場しています。このツールは、ディープラーニングと行動心理学を組み合わせており、送信するメッセージの草案を自動で作成・改善することで、パーソナライズされた営業メールを短時間で作成することをアシストしてくれます。この分野では他にも Outplay や Flowrite、Regie.ai といったサービスが出てきています。

② カスタマーサポート

　カスタマーサポートを自動化してくれるサービスも登場しています。例えば、**Forethought**は顧客からよくある問い合わせや質問に対する回答を自動生成したり、メッセージの重要度や緊急度を判別して人間のオペレーターにつないだりすることで、オペレーターのワークフローや業務知識をサポートしてくれます。また、より自由な会話を可能にするAIチャットボットを開発する企業も増えてきています。例えば、**Incentivai**は、OpenAIのGPT-3を活用した**Quickchat**と呼ばれるカスタマーサポート用の対話AIを開発しています。

③ 文章の要約

　大量の文書データをAIに学習させることで、高度な文章の要約を行うサービスも登場しています。例えば、**Viable**は、顧客からのフィードバックを要約して可視化してくれるサービスを提供しています。また、**AssemblyAI**は、顧客との音声通話記録を文字に起こして、会話の主な内容を要約してくれるサービスを提供しています。さらに、Amazon Web Services（AWS）は、ジェネレーティブAIをAPI経由で利用できる**Amazon Bedrock**という新サービスを発表しています。その一機能である**Amazon Titan**はAmazonによる大規模言語モデルで、人間と自然言語で対話し、テキストの生成や要約などを行うことができます。文書要約は幅広いビジネス分野での活用が期待されており、メディア業界では記事の要約、医療分野では医師と患者の会話の要約などへの応用が考えられます。

FIGURE 74 Jasper の文書生成画面（下記はブログ記事生成の例）

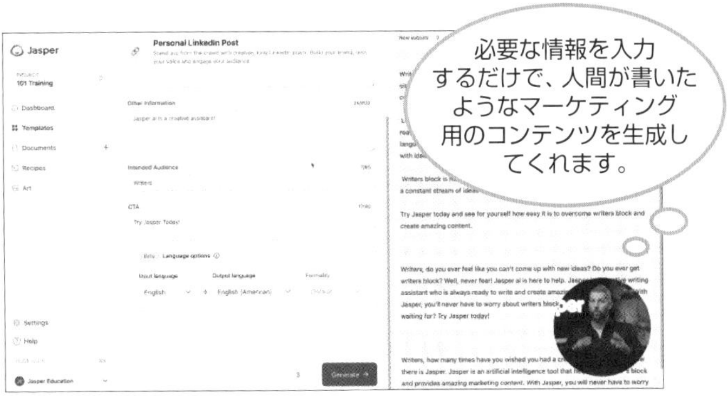

必要な情報を入力するだけで、人間が書いたようなマーケティング用のコンテンツを生成してくれます。

出所：https://bloggingx.com/jasper-ai-review/

FIGURE 75 文書要約生成 AI の適用範囲

メディア	記事の概要や見出しの生成に利用されます。また、リアルタイムで情報を追跡し、速報や緊急ニュースの要約生成にも活用されます。
オンライン広告	広告の表示に関する文書の要約や、広告のターゲティングに必要なデータを要約するために活用されます。
ファイナンス	経済指標や株式の動きに関する記事の要約が必要となるため、情報収集から要約までのプロセスを効率化するために利用されます。
医療	病気や治療法に関する文書の要約が必要となるため、医療関係者の意思決定を支援するために活用されます。
法律	判決や法律に関する文書の要約が必要となるため、弁護士や裁判官の意思決定を支援するために利用されます。
政府	報告書や公式文書の要約が必要となるため、政策決定や情報共有を支援するために活用されます。
教育	研究論文や教材の要約が必要となるため、学生や教員の情報収集や意思決定を支援するために利用されます。
レジャー	旅行情報や観光ガイドなどの要約が必要となるため、観光客の情報収集を支援するために活用されます。
自動車	新製品の情報や取扱説明書の要約が必要となるため、消費者の情報収集に活用されます。

出所：https://prtimes.jp/main/html/rd/p/000000013.000082094.html

音声・音響生成①

音声・音響生成AIのスタートアップ企業は、人間のような自然な音声を合成したり、発話者の声と区別のつかない声のクローンを生成したりするようなサービスを提供しています。

1 音声を合成する AI

Amazon Echo や Google Home といったスマートスピーカーは、人間の声による指示に対して、人間の声とほとんど遜色ない合成音声で返答してくれます。スマートスピーカーにも採用されている音声合成技術が大きく飛躍したのは、Google 傘下の **DeepMind** という企業が2016年に開発した音声合成アルゴリズムがきっかけだといわれています。**WaveNet** と呼ばれるこのアルゴリズムは、音声を点の時系列として捉える方式を取り、ディープラーニングで処理することで、ボーカロイドなどの機械っぽい音声ではない、より自然な音声を作ることに成功しています。

最近では、様々な音声合成のスタートアップ企業が出てきています。例えば、**WellSaid Labs** が開発したテキスト読み上げエンジンでは、短い言葉から数時間にわたる朗読まで、自然な読み上げ音声をリアルタイムで作成することができます。同社の技術では、企業のスポークスパーソンやナレーターの話し方の癖や口調をベースにしたボイスアバターを作成することも可能で、E ラーニング、広告、ドキュメンタリー番組などのナレーションに活用されています。

2 音声クローンを生成する AI

音声クローンとは、発言者の声のクローン(本物と区別のつかない偽の声)を生成する技術です。**Descript**は、音声クローン生成サービスを提供する企業の1つで、同社のサービスは主にポッドキャストやビデオの音声編集に使われています。例えば、録音した音声に言い間違いがある場合、テキスト変換されたその部分を修正すると、もとの音声もクローンの音声で修正されるため、音声を何度も録音し直す必要がなくなります。

また、**ElevenLabs**というスタートアップ企業は、1分以上のサンプル音声があれば、そのサンプルの声で自由に何でもしゃべらせることができる AI 音声生成プラットフォーム(ベータ版)を無料公開しています。さらに Microsoft では、たった3秒間の音声サンプルを使用するだけで、その人の声を真似た音声を合成できる言語モデリングアプローチの **VALL-E** を発表しています。この技術はMeta の音声圧縮技術である EnCodec をベースにしており、同社が作成した7,000人以上の話者による6万時間を超える音声ライブラリの Libri-light を使って AI モデルをトレーニングしています。

音声クローンには様々な応用が考えられており、例えば俳優の声を録音しておけば、その人が年を取ったり、亡くなったりした後も、声優として活躍できるといった未来が訪れるかもしれません。その一方で、この技術が振り込め詐欺やフェイク動画などの犯罪に利用されるケースも散見されており、誤った情報の拡散に悪用されることが懸念されています。

76 音声合成技術の進化

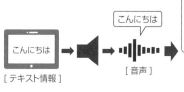

新しい
ビジネスモデル
・音声そのものや
合成エンジンの流
通プラットフォー
ム

合成音声の
権利化
・声優事務所や広
告代理店などによ
る権利化を目指す
団体の設立

用途の拡大
・コミュニケーションロボット
・デジタルサイネージ
・テレビ／ラジオ放送
・公共交通機関の案内
・地方自治体の防災情報　など

音声合成技術の進化によって、音声そのものや音声合成を流通させるプラットフォームビジネスの登場、音声に関する権利の確立といった動きも出てきています。この技術はコミュニケーションロボットやデジタルサイネージ、テレビ / ラジオ放送、公共交通機関の案内など、多様な分野に普及しつつあります。

出所：https://xtech.nikkei.com/atcl/nxt/column/18/00869/071200001/

77 音声クローン技術を提供する Descript

ポッドキャストなどの
音声編集をより簡単に
行うことができます。

Last Weekend, over Szechuan chicken, I spoke to Detective Pikachu.

テキスト変換された録音音声をタイプ入力で修正するだけで、その部分がクローン音声によって補われます（上の写真の場合は、「chicken」と言い間違えた箇所を「biscuits」に修正しています）。

出所：https://www.descript.com/podcasting

音声・音響生成②

音声・音響生成AIのスタートアップ企業は、音声合成だけでなく、楽曲やサウンドトラックなどの音楽を生成するようなサービスの開発にも取り組んでいます。

1 作曲をする AI

人間の創造性が発揮される作曲の分野でも、ジェネレーティブ AI の活用が進んでいます。ChatGPT を手掛ける OpenAI は、2019 年に作曲を行う AI である **MuseNet** を公開しています。MuseNet は、カントリーからモーツァルト、ビートルズまで様々な音楽のスタイルを組み合わせながら、10種類の楽器で4分間の楽曲を生成することができます。この AI は、人間の音楽に対する理解を模倣したものではなく、ディープニューラルネットワークを駆使することで、何十万もの MIDI ファイル（音楽の演奏情報をデータ化し、電子楽器やパソコンで再生できるようにしたもの）を学習し、ハーモニー、リズム、スタイルのパターンを発見しています。

また、同社は2020年に **Jukebox** と呼ばれる作曲 AI も発表しています。この AI は、ジャンル、アーティスト、歌詞を入力すると、自動的に作曲して歌唱する音声ファイルを生成してくれます。Jukebox は、120万曲のデータセットを学習に使用しており、それぞれの曲には、歌詞、アーティスト、アルバムのジャンル、発表年、キーワードなどのメタデータが関連付けられています。しかし、Jukebox が生成する楽曲と、人間が作り出す楽曲にはまだギャップが存在しており、今後の進化が期待されています。

2　音楽・音響生成 AI に取り組む企業

　OpenAI 以外にも音楽、映画、ゲームなどの業界向けに、AI で音楽やサウンドを生成する企業が登場しています。オーストラリアの音楽 AI スタートアップである Splash は、オンラインゲームプラットフォームの Roblox の中で、音楽の専門知識のない人でも簡単に作曲ができる **Splash Music** というミニゲームを開発しています。このミニゲームでは、自動生成されたビートやエフェクトを自由に組み合わせることで曲を作り、それをゲーム内で実際に流すことができます。

　Google も2023年1月に **MusicLM** と呼ばれる自動作曲 AI を発表しています。MusicLM は28万時間もの音楽で構成されたデータセットで学習されており、テキストで音楽のイメージを指示すると、そのとおりに作曲をしてくれるツールです。Google が発表した論文では、実際にこの AI が作成した曲のデモが公開されています。例えば、「The main soundtrack of an arcade game. It is fast-paced and upbeat, with a catchy electric guitar riff. The music is repetitive and easy to remember, but with unexpected sounds, like cymbal crashes or drum rolls. (アーケードゲームのサウンドトラック。キャッチーなエレキギターのリフがあり、ペースが速くアップビート。音楽は反復的で覚えやすいが、シンバルのクラッシュやドラムロールなどの予想外の音を含む)」というテキストを入力すると、それらしい音楽が生成されています。さらに、日本のヤマハ株式会社も、動画や画像をアップロードすると、そのコンテンツのイメージに沿ったオリジナルの音楽を自動生成する **AmBeat** と呼ばれるアプリを開発しています。

FIGURE 78 作曲で遊べるゲームの Splash Music

出所：https://www.splashmusic.com/

> 音楽に詳しくない人でも、気軽に作曲を楽しむことができるゲーム。

FIGURE 79 映像や画像から音楽を生成する AmBeat

AmBeat は、アップロードされたコンテンツやテキストを解析し、イメージやシチュエーションをキーワードで抽出します。そして、ヤマハ独自の「感性研究」によるデータベースを用いてキーワードと音楽を結びつけることにより、コンテンツにマッチしたオリジナル BGM を作成してくれます。

画像提供：ヤマハ株式会社

コード・プログラム生成

コード・プログラム生成AIのスタートアップ企業は、自然言語で指示を出すとそれをコードに変換してくれる機能など、プログラマーのコード生成作業を支援しています。

1 ローコード・ノーコード

テクノロジーの世界で大きな課題になっているのは、プログラミングなどの専門スキルを持つIT人材の不足です。2020年に国内のIT企業を対象に行われた調査では、約8割の企業がIT人材が不足していると回答しています。こうした背景の中で、ソフトウェア開発において、新たな手法として広まっているのが**ノーコード**（no-code）や**ローコード**（low-code）と呼ばれる開発手法です。両者の違いは、ソースコードを記述する量で、ノーコードはソースコードを書かない開発、ローコードはソースコードの記述量を最小限に抑えて開発することを意味しています。これらの開発手法は、開発期間や費用を削減できることや、エンジニアのスキルに依存せず開発ができること、また機能拡張や改修をしやすいことなどがメリットとして挙げられます。ノーコードやローコードの登場によって、ソフトウェア開発は以前に比べて楽になってきていますが、ジェネレーティブAIは、それをさらに加速させる可能性があります。

　コード・プログラミング生成 AI とは、プログラマーがソースコードを書く作業を補助してくれるツールです。代表的なサービスには、**GitHub** と OpenAI が開発した **GitHub Copilot** があります。このツールは、プログラマーが書いたソースコードの文脈やコメントに合わせて次に書くべきコードを提案してくれます。AI によって提案されたコードは常に完璧というわけではないですが、プログラマーは AI が書いたコードを手直しするだけでコーディングを完了できるため、生産性を高めることができます。

　また、Google 傘下の DeepMind は **AlphaCode** と呼ばれるコード生成 AI を開発しています。この AI は、**競技プログラミング**（プログラミングのスキルを競うコンテスト）などで出題される自然言語で記述された問題に対する解決策をコードで表現できます。その他にも、**SourceAI** というコード生成 AI は、自然言語の文章で指示すると、それをプログラミングのコードに変換してくれます。例えば、「ユーザーが指定するふたつの数字を掛け算せよ」という指示を入力すると、AI がプログラミング言語の Python で10行余りのコードを生成します。また Warp は、どのようなコマンドを打てば良いかわからないときに、自然言語で何をしたいか入力すると、それを実行するコマンドを提案してくれます。例えば、「myfolder」というフォルダを作るコマンドを知りたいとき、「Make a folder called 'myfolder'」と自然言語で入力すると、「mkdir myfolder」というコマンドが提案されます。

80 ノーコード・ローコードの特徴

	ノーコード (No-Code)	ローコード (Low-Code)	プロコード (Pro-Code)
定義	プログラミングのスキル／知識を必要としないシステム開発の手法	プログラミングのスキル／知識をほぼ必要としないシステム開発の手法	プログラミングのスキル／知識を必要とするシステム開発の手法（スクラッチ開発）
特徴	✓プログラミングの知識が不要なため、誰でもアプリケーションを開発可能 →業務担当者、システム部門向け 使用できるパーツやテンプレートがツールの提供する範囲内に限定 →小さなアプリケーションの開発に適合	✓圧倒的に少ないソースコードでアプリケーションを開発可能 →開発ベンダー向け 拡張性のあるアーキテクチャ／再利用可能なオープンAPIを利用でき、ローコードと比べて拡張性が高い →広範囲のシステム／アプリケーションの開発に適合	✓ゼロからソースコードを書くため、独自かつ複雑なアプリケーションを自由に開発可能 拡張性や柔軟性は高い一方、ノーコード／ローコードに比べて開発工数／期間が必要

高	開発生産性	低

低	拡張性／自由度／学習コスト	高

出所：https://project.nikkeibp.co.jp/jpgciof/atcl/19/00003/00008/?SS=imgview&FD=54139247

81 GitHub Copilot の仕組み

OpenAI Codex Model　　GitHub　　　　　　　　　Private Code

GitHub Copilot Service

コンテキストを提供
ソースコードを提案
提案を改善

パブリックコードと
インターネット上のテキスト

　GitHub Copilotは、コーディングを進める中でソースコードを提案してくれます。AIは、インターネット上に公開されている何十億行ものコードを使って学習をしています。

出所：https://www.sbbit.jp/article/cont1/64852

業界特化の生成 AI ①

ここでは、ゲーム分野と教育分野に特化したジェネレーティブ
AIのサービスを開発しているスタートアップ企業を紹介します。

1 ゲーム分野のジェネレーティブ AI

　ジェネレーティブ AI を活用したゲームも登場しています。米国
の Latitude は、OpenAI の GPT-3を利用して、**AI Dungeon** と呼
ばれるテキストベースのアドベンチャーゲームを開発しています。
このゲームでは、ユーザーはファンタジーやミステリーなどの世界
観を設定し、AI とテキストで対話することで物語を進めていきます。
あらかじめ決められたストーリーがないため、AI はユーザーが入力
したテキストに対して、シナリオを描いたり、キャラクターを登場
させたり、プレイヤーに会話を求めたりします。例えば、ミステリー
の世界観を選択すると、事件を調査する探偵になりきってゲームの
世界観を楽しむことができます。

　また、**Inworld AI** では、ジェネレーティブ AI を活用した **NPC** *
を開発しています。現在のゲームでは、登場するキャラクターとの
対話は限定的で、スクリプト化されたものが多いですが、Inworld
AI は、ユーザーからの質問に自律的に答えたり、会話したりできる
NPC を実現しようとしています。

---

* **NPC** Non Player Character の略。ゲーム上でプレイヤーが操作しないキャラクター。

2 教育分野のジェネレーティブ AI

　教育分野では、ジェネレーティブ AI を活用して生徒の学習を支援しようとする取り組みが進んでいます。例えば、米国の Questgen は、教育機関や社員研修向けの AI クイズ生成ツールを開発しています。このツールでは、任意の文章を入力すると、その文章に関して、多肢選択問題、真偽問題、並び替え問題といった様々な形式のテストやクイズを自動で生成してくれます。そうすることで、テストやクイズを作成する教員や人事担当者の業務を効率化することができます。他にも、Explainpaper というスタートアップ企業は、ユーザーが研究論文をアップロードして、専門用語などのわかりづらい部分をハイライトすれば、その補足説明を表示してくれる機能を提供しています。

　しかし、教育現場におけるジェネレーティブ AI の活用は様々な議論を呼んでいます。例えば、ChatGPT のような会話型 AI ツールは、教員の教材作成や採点業務の負担を軽減する可能性があります。また、ある問いに対する回答を生徒が自ら書いた上で、ChatGPT の回答と比較するといった形で授業に採り入れた事例も出てきています。しかし、生徒の学習への悪影響やコンテンツの正確性に対する懸念もあり、ChatGPT の使用を禁止する学校も出てきています。日本では、文部科学省が教育現場での活用方法や注意点をまとめた指針を作る方針を固めており、今後の動向が注目されています。

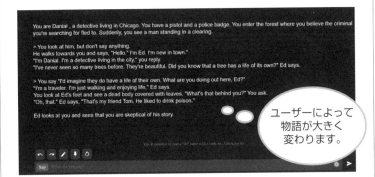

FIGURE 82 AI Dungeon のテキストベースのアドベンチャーゲーム

ユーザーによって物語が大きく変わります。

設定した世界観の中で、ユーザーはキャラクターになりきって AI とテキストで対話をしながらストーリーを進めていきます。AI の描くシナリオや会話はユーザーの入力するテキストに応じて大きく変わるため、より自由にゲームを楽しむことができます。

出所：https://i.redd.it/24s4aaf6j1j51.png

FIGURE 83 Questgen による自動クイズ生成

教師の教材作成の負担などを軽減することができます。

任意の文章を入力してクイズの形式を指定すると、その文章の理解度を確認するようなクイズが自動で生成されます。

出所：https://www.questgen.ai/

業界特化の生成 AI ②

ここでは、ヘルスケア分野と法律分野に特化したジェネレーティブAIのサービスを開発しているスタートアップ企業を紹介します。

1 ヘルスケア分野のジェネレーティブ AI

近年の医療用医薬品の研究開発には、数百億円から1,000億円を超える費用がかかるとされ、開発期間には一般的に9年〜16年の期間を要するといわれています。このような中で、ChatGPTでも利用されている自然言語処理アルゴリズムが創薬分野でも活躍しつつあります。一般的に、解熱剤や頭痛薬などの薬には各種症状に有効なたんぱく質が含まれています。新薬の開発には、ターゲットとなる症状に有効なたんぱく質の構造（アミノ酸の配列）を導き出す必要がありますが、従来の方法では、そのたんぱく質の構造を見つけるには多くの時間やコストを費やさなければいけません。そこで、アミノ酸の配列を自然言語の構造や文法に見立てることで、自然言語処理アルゴリズムを適用し、最適な薬の候補を設計する期間を短縮しようとする動きがあります。

カナダの製薬企業であるAbsciは、ジェネレーティブAIを活用した創薬プラットフォーム **Integrated Drug Creation** を提供しています。同社は、2022年8月の論文において、自然言語処理アルゴリズムを用いて抗がん剤のトラスツズマブの構造に調整を加えることで、タンパク質とがん細胞の結合を強めることに成功したと発表しています。

2 法律分野のジェネレーティブ AI

ジェネレーティブ AI は、弁護士や企業の法務部を支援するツールにも活用され始めており、判例検索、要約、特許出願などの書類作成を効率化することができます。例えば Specifio は、AI や自然言語処理を活用して特許出願の書面を自動作成するサービスを提供しています。このサービスは、**特許クレーム**（特許出願人が、特許を取得しようとする発明を特定するために必要な事項を記載したもの）をもとにして、出願書類のドラフト（フローチャートや図表を含む）を自動で生成してくれます。

FIGURE 84 Absci の Integrated Drug Creation Platform

データの学習

独自のウェットラボ検証により、機械学習モデルをトレーニングするための数十億のタンパク質同士の相互作用データを生成

AI で創薬する

ジェネレーティブ AI で抗体や次世代生物製剤の新しいデザインを生み出す

ウェットラボで検証

拡張性のあるウェットラボのインフラを用い、AI が生成したデザインを数週間で検証する

Absci は、AI が学習するデータ、ジェネレーティブ AI を活用した創薬 AI、AI が生成したデザインを検証するウェットラボを兼ね備えています。これにより、AI による抗体の設計からウェットラボでの候補物質の検証まで、わずか6週間で完成させることができます。

出所：https://www.absci.com/technology/

また、Casetext は、OpenAI の自然言語処理と独自の法律に関するデータベースを活用した **CoCounsel** と呼ばれるツールを提供しています。CoCounsel は、法律や判例に関する質問に回答してくれる検索・リサーチ機能、複雑な契約書類などの要約、ドキュメントのレビューなどを行ってくれる AI リーガルアシスタントとして、多くのローファームで採用されています。

　さらに、**DoNotPay** というスタートアップ企業は、弁護士を雇う余裕のない人向けのロボット弁護士アプリを開発しています。このロボット弁護士は、駐車違反切符の取り消しの訴えや離婚調停合意書の作成補助といった法律に関する様々なタスクを弁護士の代わりに行ってくれるサービスです。

FIGURE 85　DoNotPay のロボット弁護士

　欧米では駐車違反の取り締まりが厳しく、理不尽に違反切符を切られることもあります。DoNotPay は違反取り消しの嘆願書を自動で作成してくれるため、DoNotPay から嘆願書を提出した25万人のうち16万人が、ロンドンおよびニューヨークでその内容が認められ、推計で400万ドルの罰金が取り消しになっています。

出所：https://donotpay.com/

ジェネレーティブ AI が社会にもたらす変化

ジェネレーティブAIの進化が社会にどのような変化を与えるのかについて、様々な専門家や有識者が自らの経験や知見をもとにしながら予測をしています。

1 画像生成 AI が創作の世界に与える影響

Stability AIの創設者であるエマード・モスターク氏は、Stable Diffusionの開発理由について、「10億人の人々をクリエイティブにしたかった」と説明していますが、画像生成 AI によって、創作の世界が大きく変わることは確かです。前述した UI/UX デザイナーの深津貴之氏は、画像生成 AI によって商習慣、制作工程、マーケットサイズ、社会的価値などのあらゆるものが、数年内に大転換を強いられると予測しています。

例えば、画像生成 AI によって1日に生成可能な画像の枚数はこれまでの何千倍や何万倍となるため、労働集約的なクリエイティブ産業の構造や事業のあり方が見直される可能性があります。また、クリエイターの仕事では AI との共創が求められるようになり、人間は実際に手を動かすような仕事から、アートディレクターのような全体の指揮を執るような役割にシフトしていくようになると考えられます。歴史を振り返ると、データサイエンティストや UX デザイナー、そして Uber ドライバーや配達員などは以前は存在しなかった仕事であり、画像生成 AI によって、これまで想像もできなかった仕事が生まれる可能性もあります。

さらに、アーティスト兼デザイナーのエイザ・ラスキン氏は、画像生成 AI があればいままで想像や視覚化するのが難しかったものに簡単に姿を与えられると述べています。別のアーティストであるトム・ホワイト氏も、画像生成 AI はコミュニケーションの革命であると主張しています。つまり、これまではアートやイラストといった視覚メディアを用いた自己表現や自己主張のできる人は限られていましたが、画像生成 AI はその人数を大幅に増やすことになります。そうなった場合には、人と人とのコミュニケーションの仕方が変わることになるかもしれません。

❷ ジェネレーティブ AI が生みだす懸念

　欧州警察機構（Europol）が2022年に発表した報告書には、「専門家の予測では、2026年までにオンラインコンテンツの90% が AI によって生成または操作される可能性がある」と記されています。つまり、将来的には画像生成 AI が生み出した画像の数が、人間が作成した画像の数を上回るときが来るということです。これが具体的に何を意味するのかは、まだ計り知れませんが、インターネット上にある画像を含む情報の大半が AI の生成物で占められたとき、人間の知性の獲得や文化形成に何かしらの影響を及ぼすことが考えられます。また、ジェネレーティブ AI の進化に伴って浮かび上がるのは、「人間とは何か」という本質的な問いです。高度な思考や創造性を必要とするような人間にしかできないと思われていたタスクを AI が代替・補完するような時代において、私たち人間はどう在りたいのかという難しい問題に迫られているように感じます。

FIGURE 86 機械や AI が人間の仕事に与える影響

自動化される仕事の割合

機械の仕事

人間の仕事

	人間の仕事	機械の仕事
2025	53	47
2020	67	33

2025 年までの仕事の概観

9,700 万

8,500 万

需要の増加
① データアナリスト・データサイエンティスト
② AI・機械学習のスペシャリスト
③ ビッグデータのスペシャリスト
④ デジタルマーケティング・戦略のスペシャリスト
⑤ プロセス・オートメーションのスペシャリスト
⑥ ビジネス・デベロップメントの専門家
⑦ デジタル・トランスフォーメーションの専門家
⑧ 情報セキュリティーのアナリスト
⑨ ソフトウェア・アプリケーションの開発者
⑩ IoT のスペシャリスト

需要の減少
① データ入力の事務員
② 事務管理・役員秘書
③ 会計・簿記・給与系の事務員
④ 会計士・監査人
⑤ 組み立て工場従事者
⑥ 管理・ビジネスサービス系のマネージャー
⑦ 顧客情報・顧客サービスの担当者
⑧ ゼネラル・オペレーションマネージャー
⑨ メカニック・機械修理
⑩ 資料記録・在庫管理の担当者

　世界経済フォーラムでは、2025年までに自動化される仕事の割合は47%に増えると予測しています。また、2025年までに8,500万の仕事が機械などに置き替えられると同時に、9,700万の新しい仕事が生まれると推定しています。画像生成 AI についても、AI がクリエイターの仕事の一部を代替する一方で、新しい仕事や役割を生み出す可能性があります。

出所：https://www.weforum.org/reports/the-future-of-jobs-report-2020/in-full/infographics-e4e69e4de7

ジェネレーティブ AI を
取り巻く問題

●AIが生成したコンテンツを見分けられるのか

ジェネレーティブAIが本格的に普及すると、人間が作ったコンテンツと
AIが生成したコンテンツの違いを見抜くことがますます難しくなってくる
ことが考えられます。Google Creative Labのアーティスト兼テクノロジ
ストであるアリ・メレンチアーノ氏は、何が本物で何が偽物かを見分けるこ
とが重要になると述べ、それを可能にするのは人間の目ではなく、コン
ピューターの手を借りたサービスになるだろうと予測しています。

2023年2月に、OpenAI、TikTok、Adobe、BBCを含む10社の企業グ
ループが、AIが生成するコンテンツを、責任を持って作成・共有する方法に
関するガイドラインに署名しています。この自主的な提言では、AIが生成し
たコンテンツに、ユーザーが接したかどうかを透明化する方法について研
究を進めることを約束しています。その方法には、**電子透かしや免責事項**、
AIモデルの学習データやメタデータに含まれる追跡可能な要素などが考え
られます。

電子透かしとは、人間の目には見えないが、コンピューターに読み込ませ
ることで、あるコンテンツがAIの生成物である可能性を検出できるという
ものです。すでに電子透かしを目印として、AIが生成した文章を識別できる
ことが示されています。メリーランド大学の研究チームが開発した電子透か
しは、独自に構築した検出アルゴリズムにかけることで、Metaのオープン
ソース言語モデル (OPT-6.7B) で作成した文章を判別できると発表してい
ます。

OpenAIも、AIが書いた文章と人間が書いた文章を区別するツールであ
るAI Text Classifierを提供しています。ただし、執筆時点ではこのツール

は未完成で、AIが生成した文章のうち26%を「AIが書いた可能性が高い」と識別するレベルにとどまっています。そのため、精度のさらなる改良が求められていますが、将来的には盗作の検出やネット上のボット対策に活用される可能性があります。また、責任あるAI開発という観点では、AIモデルがどのように訓練されたのか、どのようなデータが投入されたのか、モデルに偏りがないのかなど、より詳細な情報の開示や透明化の必要性が高まる可能性があります。

●AIに関する法律の整備

AIに関連する潜在的なリスクを抑制しようとする規制の整備も進み始めています。EU（欧州連合）は、AI全般に関する統合的な規律である**AI規則**の施行を予定しており、執筆時点では2024年にも全面施行になる可能性があります。この法案では、AIを健康、安全、人権などのリスクの観点から、①許容できないリスク（禁止されるAI）、②ハイリスク（規制されるAI）、③限定リスク（透明性義務を伴うAI）、④最小リスク（規制なしのAI）の4段階に分類しています。そして、リスクの程度に応じて規制の内容を変えるというアプローチを取っています。

例えば、限定リスクAIの場合は、AIチャットボットと対話しているユーザーに、AIシステムと相互作用していると知らせる義務や、コンテンツが人工的に生成・操作されたものであることを明らかにする義務などが生じる可能性があります。もし、こうした義務を遵守しない場合、そのAIをEU加盟国内で提供・販売する企業は全世界売上総額の最大6%に相当する巨額の罰金が科されたり、EUでビジネスができなくなったりするおそれがあります。

CHAPTER 3でも、画像生成AIと著作権について解説しましたが、ジェネレーティブAI全般に関しても、今後世界各国で法律の整備が進むことが予測されます。もしこの分野でビジネスを興そうとする場合には注意しておくとよいでしょう。

おわりに

　これまでAIの研究開発は、ブームの時代と冬の時代を交互に経て
きました。1950年代後半から1960年代に起きた第1次AIブーム
は「推論」と「探索」の時代で、AIによってチェスや数学の定理証明
など特定の問題に対して解を提示することができるようになりまし
た。次に、1980年代の第2次AIブームは「知識」の時代で、専門分
野の知識をコンピューターに取り込んで推論を行うことで、コン
ピューターが専門家のように振る舞うエキスパートシステムに注目
が集まりました。そして、2000年代には第3次AIブームを迎え、
ビッグデータと呼ばれる大量のデータを用いることでAI自身が知識
を獲得する機械学習の時代に突入しています。画像生成AIもこの第
3次AIブームの延長線にあると考えられます。

　しかし、このようなブームの間には冬の時代が発生しています。第
1次AIブームは、単純な仮説の問題を扱うことはできても、様々な
要因が絡み合っているような現実世界の複雑な課題を解くことはで
きないという理由で、AI研究への出資が減少し、冬の時代を迎えて
います。第2次AIブームは、世にある膨大な情報や知識をコン
ピューターが理解できるように教えることは困難であることがわか
り、再び冬の時代を迎えました。この2つの冬の時代に共通するの
は、AIが実現できる技術的な限界よりも、社会のAIに対する期待が
上回り、その乖離が明らかになったということです。また、経済の低
迷とも強く相関して、十分な研究資金が得られなくなったことも冬
の時代を迎えた要因と考えられています。

では、現在の第3次AIブームは再び冬の時代を迎えるのでしょうか？　執筆時点では、世界経済は低迷期に入り始めており、Google、Microsoft、Amazon、Metaといった大手テック企業では、次々と大規模なレイオフ（一時解雇）を発表しています。そのため、景気後退によってAI研究への資金供給が再び止まるのではないかと懸念する声もあります。オックスフォード大学のコンピュータサイエンスの研究者であるマイケル・ウルドリッジ教授は、「本格的なAIの冬がやって来る代わりに、長期的なAI研究に向けた資金が減少し、その技術を使って稼がなければならないというプレッシャーが高まる可能性が高い」と述べています。つまり、同氏は長期的にイノベーションをもたらす可能性のある深い研究ではなく、短期的に利益を上げられるようなAI製品の開発に資金や人材のリソースがシフトしていくかもしれないことを示唆しています。この流れは、人々の生活を豊かにするような製品やサービスが出てくるという点では、必ずしも悪いことではないですが、長期的なAIによるイノベーションが停滞するリスクもあります。

　私たちは時代の流れに逆らうことは難しいですが、過去から学ぶことはできます。本書で紹介した画像生成AIやジェネレーティブAIが今後も継続的な発展を遂げるには、これらのAIで何が実現可能なのかを、課題やリスクを含めて正しく理解をして、技術的な限界と社会の期待値の乖離を減らすことが必要です。また、AIの商用化を目指すと同時に、より長期的な目線でのAIの研究開発が継続して行われることが期待されます。

田中秀弥

監修者のことば

『図解ポケット 画像生成AIがよくわかる本』をご覧いただきありがとうございました。本書を通して、画像生成AIという現在進行形で世界を大きく変えつつある概念・サービスが、少しずつ身近に感じられるようになってきたのではないかと思います。一部で2023年はAI元年といわれており、以前は考えもしなかったようなことが、近年では次々と現実になりつつあります。

本書のメインテーマである画像生成AIの衝撃が冷めやらぬ2023年、OpenAIが開発した自然言語処理モデルGPT-3を組み込んだチャットサービス「ChatGPT」が大きな注目を集めました。GPT-3の後継モデルであるGPT-4の出現により、注目度はさらに高まっています。本書ではこのような状況も加味し、画像生成AIだけではなくChatGPTなどの文章生成AI、そして画像生成AIの発展系である動画生成AIにも触れています。そのため本書をご覧いただければ、話題の生成AIのトピックを大まかに理解することができます。

2021年や2022年のテクノロジートレンドは、メタバース、そしてブロックチェーンによる暗号資産（仮想通貨）やNFT（非代替性トークン）、DeFi（分散型金融）、DAO（分散型自律組織）といった、いわゆるWeb3領域でした（2023年現在も世界中で着々とサービス開発が進んでいます）。そういった流れもあり、本書を執筆された田中先生と私で『Web3がよくわかる本』（秀和システム）を世に送り出し、多くの方にご覧いただいたわけですが、2023年のAIブームは、2021年、2022年のWeb3、メタバースブームを大きく凌ぐ勢いです。

このようなトレンドの中で、本書をここまでご覧いただいたあなたはかなりセンスが良いです！　さらにいえば、Web3、メタバースについても本を読むなどして学び、本書で学んだAIの知識と合わせて活用できれば、もっと様々なチャンスに巡り合えるでしょう。ぜひこの調子でアンテナ高く、いろいろなことを吸収し、そして失敗を恐れず挑戦いただければ幸いです。ぜひAIに仕事を奪われる側の人間ではなく、AIをうまく使いこなし、AIと共存できる側の人間になりましょう。

松村雄太

　AI、そしてWeb3やメタバースなどに関するお役立ち情報を日々無料メルマガで配信しています。ご興味あればご覧ください！ご感想、お問い合わせはLINEまたはメールでいただけますと幸いです。

●公式メルマガ

URL：https://tr2wr.com/lp

●公式LINE

ご感想・お問い合わせをお待ちしております！

URL：https://lin.ee/WPBREwF

（あるいは ID:@927wtjwr より）

●メールアドレス

investor.y11a@gmail.com

あ行

●アウトスキリング

人員整理の対象者や、今後その対象となる可能性が高い従業員に、企業がデジタル分野などの成長産業への就職に役に立つスキルや能力のトレーニングを提供して、新しいキャリアの形成を支援すること。

●アップスキリング

変化し続ける高度なテクノロジーに対応して、新しいスキルや能力を身に着けることで、現在の業務や職業をより効果的にこなし、継続的に学習する状態を作り出すこと。アップスキリングと並んで使われる言葉であるリスキリングは、新しい業務や職業に就くために、新しいスキルや能力を身に着けて実践することを指す。

●意匠

物品の形状、模様もしくは色彩、またはこれらの結合であって、視覚を通じて美感を起こさせるもの。日本の意匠制度では、新しく創作された意匠を創作者の財産と位置付け、その保護と利用のルールについて定めている。意匠法の保護対象となるには、工業上利用できるか、新規性を備えているか、容易に創作できるものではないかなどの要件を満たす必要がある。なお、意匠権の存続期間は意匠登録出願の日から最長25年をもって終了する。

●イテレーション

アジャイル開発で使われる主な用語の1つで、ソフトウェア開発の単位。短期間での開発や、仕様変更への柔軟な対応力を特徴とするアジャイル開発では、設計、開発、テスト、改善などの工程を短いスパンで複数回実行する。この繰り返しの工程をイテレーションと呼ぶ。一般的には1回のイテレーションの期間は数週間程度。

●インディーゲーム

個人または少人数のチームが開発するゲームで、作品規模も大手に比べて小規模。大手パブリッシャーの出資を受けないため、基本的に低予算で開発される。また、パブリッシャーの意向に左右されないため、リスク度外視の先鋭的な作品や、イノベーションを起こす画期的で独創的な作品になることが多い。

●エキスパートシステム

特定の専門分野の知識をもち、専門家のように事象の推論や判断ができるようにしたコンピューターシステムのこと。推論エンジンと知識ベースの2つで構成されており、専門的な知識を含む、規則、事実などを収集した知識ベースをもとに、推論エンジンが推論して結論を導き出す。エキスパートシステムを使うことで、専門知識のない人であっても専門家と同等の問題解決・判断が可能になる。

●オノマトペ

動物の鳴き声や物音、あるいは状態や感情を模倣したもので、擬音語と擬態語に分けられる。擬音語は物音や動物の

鳴き声などの音を人間の音声で模倣したもの（例：ワンワン、ピー、パチパチ）で、擬態語は音がない雰囲気や状態を表現したもの（例：ニコニコ、ドキドキ、フワフワ）。世界中の言語にオノマトペがあるが、それに対する音感覚は言語によって異なる。また、日本語ではオノマトペの語彙が特に豊富であるといわれている。

● **オプトアウト**

ユーザーが情報を受け取る際や自らに関する情報が利用される際などに、それを許諾しない意思を示す行為。反対に、許諾の意思を示す行為をオプトインという。広告メールの送信や、インターネット上での個人の情報の取得や利用などを、ユーザーの意思に基づいて行う仕組みや方式を指す語として用いられる。

か行

● **機械学習**

データを分析する方法の1つで、機械（コンピューター）が自動でデータから学習し、データの背景にあるルールやパターンを発見する方法。機械学習の類義語にAI（人工知能）や深層学習（ディープラーニング）があるが、AIを実現するためのデータ分析技術の1つが機械学習で、機械学習における代表的な分析手法がディープラーニングである。

● **クリエイティブ**

日本の広告分野において、広告の制作物や素材などを指す。広告自体（広告のために制作されたコンテンツすべて）をクリエイティブと呼ぶ場合もあれば、広告に使われる素材（写真やイラストなど）をクリエイティブと呼ぶ場合もある。

● **クリエイティブ・コモンズ**

著作物の適正な再利用の促進を目的として、著作者が自分の著作物の再利用を許可するという意思表示を手軽に行えるようにするための様々なライセンスを策定し、その普及を図る国際的なプロジェクトおよび、その運営主体である国際的非営利団体の名称。クリエイティブ・コモンズが策定した一連のライセンスは、クリエイティブ・コモンズ・ライセンスと呼ばれる。

● **行動心理学**

米国の臨床心理学者であるジョン・ブレイザー博士が提唱した学問分野で、人間の行動や仕草のパターンから心理を分析・研究していく。具体的には、しぐさや声のトーン、表情などから、人間の心理を分析する。

さ行

● **サイバーパンク**

サイバネティックス（通信工学と制御工学、生理学と機械工学を総合的に扱うことを目的とする学問分野）とパンク（過激なロック音楽）を組み合わせた言葉で、1980年代に流行・成立したサイエンス・フィクションのサブジャンルまたは特定の思想・運動。サイバーパンクでは人体と機械が融合し、脳の情報処理とコンピューターの情報処理の融合が過剰に推し進められた社会が描写されることが多い。

● 作画崩壊

アニメ作品の作画クオリティが著しく低下している様相。作画崩壊は、主に制作段階での予算やスケジュールの調整不足などが原因で、キャラクターのデッサンやパースに狂いが生じたり、キャラクターの動きが不自然になったり、彩色のミスなどが発生したりするような例が挙げられる。

● 自然言語処理

自然言語（私たち人間が普段から自然に使っている言語で、日本語や英語も自然言語に含まれる）をコンピューターで分析して、言語の意味を抽出したり、解釈したりする技術のこと。形態素（意味を持つ表現要素の最小単位）の解析、文章構造の解析、文章の意味の分析、文脈を理解した上での情報抽出で進められ、AIチャットボット、音声認識AI、AIスピーカー、検索エンジン、自動翻訳などのシーンで活用されている。

● シュルレアリスム

超現実主義。フランスの詩人であるA・ブルトンの著作『シュルレアリスム宣言・溶ける魚』（1924年）に始まる芸術運動で、フロイトの精神分析理論に影響を受け、無意識の表面化、無意識と理性との一致を目指した。

● スクレイピング

特定の目的を持ってウェブやデータベースを広く探り、データを抽出する手法を指すコンピューター用語。同じような意味の用語であるクローリングは、ウェブからデータを収集することを意味し、集めた上で使いやすく抽出・加工す

るのがスクレイピングの特徴である。スクレイピングは市販のツールや自作のツールで簡単に実施できるが、取得したデータを解析以外の用途に使わない、取得先のサイトに負荷を与えない、利用規約でスクレイピングを禁止しているウェブサイトを対象としないといった注意点を守る必要がある。

● ソースコード

プログラミング言語で書かれた、コンピュータプログラムを表現する文字列（テキストまたはテキストファイル）。オープンソースとは、無償で公開されたソースコードで、自由に利用や、改変、再配布ができるという特徴がある。一方で、プログラムのソースコードを非公開として、改変・複製・再配布などを制限したものをクローズドソースと呼ぶ。

た行

● ディープラーニング

データの背景にあるルールやパターンを学習するために、多層的（ディープ）に構造で考える方法。一般的なデータ分析は、入力データと出力データの関係を直接分析するが、ディープラーニングは、中間層と呼ばれる構造を設けて、多層化することで、情報の複雑さに対応できるようになり、データの分析精度が向上する。ディープラーニングは機械学習の中の1つの手法であり、画像認識、音声認識、自然言語処理、異常検知などに広く活用されている。

● デッドコピー

他人の著作物、商品のデザインや形態などの創作物をほぼそのまま模倣する

こと。デッドコピーをすると、他者が持つ著作権、特許権、実用新案権、意匠権などの知的財産権を侵害する可能性が高く、商品の製造・販売の差止めや、損害賠償請求されるおそれがある。

● 電子透かし

画像、動画、音声などのデータに、特定の情報を埋め込むことによって、オリジナルかコピーされたものかを判別できるようにする技術でデジタル・ウォーターマークとも呼ばれる。著作権の保護や不正コピーの検知のために用いられることが多い。一般的には著作者名、利用許諾者名、課金情報、コピー可能回数、コンテンツのIDなどが埋め込まれる。紙幣の透かしとは異なり、見た目にはわからないが、検出ソフトを使用することで埋め込まれた情報を取り出すことができる。

は行

● パブリシティ権

有名人の氏名や肖像などに生じる顧客吸引力を中核とする経済的な価値（パブリシティ価値）を本人が独占できる権利。一方で肖像権は、他人から無断で写真を撮られたり、撮られた写真が無断で公表されたり、利用されたりすることがないように主張できる権利で、パブリシティ権と肖像権では、保護する利益が異なる。肖像権は人格的利益を優先した考え方に基づく一方で、パブリシティ権は同じ行為であっても財産的利益を保護している。ただし、どちらも成文法として定義されたものではない。

● ピクセル

コンピューターで画像を扱う際に、色情報（色調や階調）を持つ最小単位のことで、画素とも呼ばれる。画像解像度は、デジタル画像がどれぐらいの細かさで画素に分割されているかの度合いをピクセル数で示したもの。一般的には ppi（pixels per inch）という単位が使用され、画像の幅1インチあたりに並ぶピクセル数で表される。このピクセルの数値が高いほど精細な画像になる。

● ビッグデータ

一般的なデータ管理や処理ソフトウェアで扱うことが困難なほど巨大で複雑なデータの集合を表す用語。多くの場合、ビッグデータとは単に量が多いだけでなく、様々な種類・形式が含まれる非構造化データであり、さらに、日々膨大に生成・記録される時系列性・リアルタイム性のあるようなものを指すことが多い。

● フリーミアムモデル

フリー（無料）とプレミアム（割増料金）を組み合わせた造語で、基本的なサービスや製品を無料で提供し、さらに高度なサービスや特別な機能に関しては有料で提供することで収益を得るビジネスモデル。新規ユーザーがサービスに触れる敷居を下げる点で有効であるが、無料ユーザー層を集めて、その一部を有料サービスに戦略的に導くことが重要になる。

● フレーム

動画のもとになる静止画像の1コマ1コマのこと。1秒間当たりに表示されるフレームの数をフレームレートと呼び、

単位にはfps（frame per second）が使われている。映画、テレビ番組、ビデオのストリーミングのコンテンツ、スマートフォンなどの標準的なフレームレートは24fpsで、fpsが高ければ高いほどなめらかな動画になり、低すぎるとカクカクした動画になる。

● 翻案権

著作物を翻訳し、編曲し、もしくは変形し、または脚色し、映画化し、その他翻案する権利。著作権の1つで、日本では著作権法27条に定められている。既存の著作物を修正、増減、変更するなどして、新たな思想または感情の創作的表現を加えて、別の著作物を創作した場合かつ、創作した著作物が既存の著作物の表現上の本質的な特徴を直接感得することができる場合に翻案とみなされる。

ま行

● 名誉権

人がみだりに社会的評価を低下されない権利。人格権の一種として認められ、名誉権を侵害すると刑法上の名誉毀損罪が成立し、民事上では不法行為が成立する。名誉権を侵害されたら、加害者へ名誉毀損行為を停止するよう差し止め請求や損害賠償請求ができる。名誉毀損罪の他にも、具体的な事実の摘示をせず、不特定または多数の人が見られる中で口頭や文書を問わず、他者を侮辱することを内容とする侮辱罪があるが、名誉毀損罪とは具体的な事実の摘示の有無によって区別される。

● メタマスク

メタマスク（MetaMask）は、ウェブブラウザの拡張機能やスマホアプリとして利用できる暗号資産専用のソフトウェアウォレット。イーサリアム（ETH）や、イーサリアムをベースに発行されたERC-20トークンを保管することができる。メタマスクでは、イーサリアムのブロックチェーンを基盤として開発されたDApps（分散型アプリケーション）や、ブロックチェーンゲームなどと連携させることも可能。

ら行

● リミックス

音楽用語としてのリミックスは、複数の既存曲を編集して新たな楽曲を生み出す手法を意味する。1970年代後半のニューヨークにおけるディスコ・ブームをきっかけに、リミックスが世界的に普及した。現在では、音楽に限らず、ある作品を再編集することや再編集された作品に対しても広く用いられている。

● レンダリング

あるデータを処理または演算することで画像や映像を表示させること。動画制作などにおいては、様々な形式のデータに処理を加えることによって、映像や画像や音声などを生成する作業を指す。本来、レンダリングは、数値データをもとに3DCGコンテンツを生成することだったが、最近ではこの作業は3Dレンダリングと呼ばれて、他のレンダリングと区別されている。

英数字

● AAAゲーム

中堅または大手パブリッシャーが販促・流通を行うコンピュータゲームに

用いられる非公式の格付け。AAAゲームには、莫大な開発費やマーケティング予算を伴うため、採算をとるために必要な売上の水準が高くなる。過去のAAAゲームには、『バイオハザード RE:2』、『コール オブ デューティシリーズ』、『Minecraft』などが含まれる。

●ABテスト

2つのものを比較するテスト。AパターンとBパターンではどちらがよいかを比べるため、ABテストと呼ばれている。インターネットマーケティングでよく行われる手法で、サイトや広告のアクセス数や成約率などのデータを比較し、成果が出ているほうを採用する。

●AIりんな

日本マイクロソフトが開発した会話ボットの1つで、現在はAIキャラクターの開発企業であるrinna（日本マイクロソフトのチャットボットAI事業から2020年6月に独立）が管理を行う。AIと人だけではなく、人と人とのコミュニケーションをつなぐ存在を目指しており、会話の相手（ユーザー）の発言内容を踏まえて、より具体的で内容のある雑談を返答するコンテンツチャットモデル（Contents Chat Model）を採用している。

●CC0

クリエイティブ・コモンズ（CC）が提供するライセンスの1つで、科学者や教育関係者、アーティスト、その他の著作権保護コンテンツの作者・所有者が、著作権による利益を放棄し、作品を完全にパブリックドメインに置くことを可能に

する。他のCCライセンスと異なり、「いかなる権利も保有しない」という選択肢を与えるもので、他の人たちは著作権による制限を受けないで、自由に、作品に機能を追加し、拡張し、再利用することができる。

●Common Crawl

独自にインターネット上のウェブサイトをクロールして収集し、そのアーカイブとデータセットを無償で提供している非営利団体。データセットには、著作権で保護された作品が含まれており、それらはフェアユースに基づいた上で米国から提供されている。また、ChatGPTの学習データにも、Common Crawlが収集したデータが含まれている。

●GAN

Generative Adversarial Network（敵対的生成ネットワーク）の略で、ディープラーニング（深層学習）を活用したAI技術の1つ。実在しないデータの生成、学習したデータの特徴に沿った変換、元データの特徴を含む新しいデータの生成などが可能。GANのネットワーク構造は、Generator（生成ネットワーク）とDiscriminator（識別ネットワーク）の2つのネットワークから構成されており、互いに競い合わせることで精度を高めていく。

●GitHub

世界中の人々が自分の作品（プログラムコードやデザインデータなど）を保存・公開できるようにしたソースコード管理サービス。GitHubは、米国のサンフランシスコに拠点を置くGitHub社に

よって運営されており、個人・企業問わず無料で利用が可能。利用者は、自分のプログラムのソースコードを他のエンジニアに共有したり、共同作業を行ったりすることが可能で、特にオープンソースソフトウェアの開発プロジェクトでは広く使用されている。

● Google Colaboratory

Googleの研究開発部門であるGoogle AIがクラウドで提供する機械学習・AIアプリ開発環境。Jupyter Notebook（Pythonなどをウェブブラウザ上で記述・実行できる統合開発環境）を必要最低限の労力とコストで利用でき、ブラウザとインターネットがあればすぐに機械学習のプロジェクトを進めることができる。

● GPT-3

2020年7月にOpenAIが発表した高性能な言語モデル。Wikipedia やCommon Crawlなどから集めた45TBもの膨大なテキストデータに対して、いくつかの前処理を行った570GBのデータセットを学習に用いている。GPT-3は、文章の生成、文章の要約、質問への回答、翻訳などに活用することができる。また、OpenAIは、2022年3月にテキストに加えて画像の入力にも対応するマルチモーダルな基盤モデルのGPT-4を発表している。

● LAION

大規模な機械学習モデルやデータセット、それに関連するコードを一般公開することを目的とした非営利団体。LAION（Large-scale Artificial Intelligence Open Network）が提供するLAION-5Bは、インターネット上から収集された約58億枚のカラー画像のデータとタグ付けに利用できるテキスト処理が施されたデータセットで、Stable DiffusionのAIの学習にも利用されている。

● NFT

Non-Fungible Token の略で、日本語では非代替性トークンと呼ばれる代替できないデジタル資産。従来、デジタルデータはコピーし放題で、どれが元のデータか証明することは困難だったが、NFTであれば、見た目が同じでも本物と偽物を明確に区別することができる。NFTのマーケットプレイスでは、二次流通（転売）でもクリエイターがロイヤリティ（二次流通での手数料）を得ることができるように設計することもできる。

● OpenAI

人類全体に利益をもたらす形で友好的なAIを普及・発展させることを目標に掲げるAI研究所。2015年にサム・アルトマン氏やイーロン・マスク氏らによって設立され、画像生成AIのDALL・E 2や言語モデルのGPTシリーズを発表している。2019年にはMicrosoftから10億ドルの投資を受けており、同社はOpenAIのAIを自社プロダクトに活用している。

● Photoshop

Adobeが販売している有料の画像編集アプリケーションソフトウェアで、写真や画像の加工・色の調整、複数画像の合成、テキストの追加や装飾などが自在

に行えるツール。Photoshopは、ビットマップ画像と呼ばれるドット絵のような小さな四角形の集まりで画像を表現するため、より細かな調整や加工、編集に適している。

●Roblox

ユーザーがゲームを作成・共有したり、他のユーザーが作成したゲームをプレイしたりできるオンラインゲーミングプラットフォームおよびゲーム作成システム。無料でプレイでき、ゲーム内でのアイテム購入などはRobuxと呼ばれる仮想通貨を通じて行われる。執筆時点では、1日あたりのアクティブユーザー数は約5,880万人に達しており、米国では16歳未満の子どもたちの半数以上がプレイしているともいわれる。

●Sequoia Capital

米国を代表する老舗のベンチャーキャピタル。海外展開にも積極的で、イスラエルやインド、中国、シンガポール、香港などにも拠点を持つ。AppleやGoogleなどに投資してきた実績があり、最近では、ジェネレーティブAI系のスタートアップ企業にも注目している。

●Stability AI

エマード・モスターク氏によって2020年に設立されたAI開発企業で、オープンソースな画像生成AIであるStable Diffusionを開発。同社は、世界初のコミュニティ主導のオープンソースAI企業であると主張しており、「AI by the people, for the people」(人民による、人民のためのAI)というAIの民主化を理念に掲げている。

索引

●著者紹介

田中 秀弥（たなか・ひでや）

早稲田大学政治経済学部を卒業後、米国ワシントン州のシアトルに拠点を置くWebrain Think Tankにプロジェクトマネージャーとして参画。同社では、米国を中心とする海外の最先端テクノロジーや社会トレンドに関するリサーチやコンサルティングを通じて、日系企業に対してビジネスインテリジェンスを提供。著書に『図解ポケット 次世代インターネット Web3がよくわかる本』（秀和システム）がある。
Webrain Think Tank, LLC (https://ja.webrainthinktank.com/)
ニュースレター：Seattle Watch（https://ja.webrainthinktank.com/seattle-watch）

●監修者紹介

松村 雄太（まつむら・ゆうた）

埼玉県立浦和高校、早稲田大学商学部卒。新卒で外資系IT企業に入社後、1年目の途中からインドに1年間駐在。その後、外資系コンサルティングファームを経て、メディア系ベンチャー企業にて日本の大手企業向けに国内外のスタートアップやテクノロジートレンドのリサーチを担当。現在はWeb3、NFT、メタバース、AIなどについて学びたい人が集うコミュニティを運営しつつ、書籍の執筆や監修、講演などの活動に力を入れている。著書に『図解ポケット デジタル資産投資 NFTがよくわかる本』『図解ポケット メタバースがよくわかる本』『図解ポケット 次世代分散型自律組織 DAOがよくわかる本』（以上著者　秀和システム）、『図解ポケット デジタルデータを収益化！ NFT実践講座』『図解ポケット バーチャル経済を制する！ メタバース実践講座』『図解ポケット 次世代インターネット Web3がよくわかる本』（以上監修　秀和システム）などがある。
運営サイト：「Web3総合研究所」：https://crypto-ari.com
ニュースレター「1分で読めるブロックチェーン通信」：https://y11a.theletter.jp

図解ポケット

画像生成AIがよくわかる本

発行日　2023年 5月25日	第1版第1刷

著　者　田中　秀弥

監　修　松村　雄太

発行者　斉藤　和邦

発行所　株式会社　秀和システム
　　　　〒135-0016
　　　　東京都江東区東陽2-4-2　新宮ビル2F
　　　　Tel 03-6264-3105（販売）Fax 03-6264-3094

印刷所　三松堂印刷株式会社

©2023 Hideya Tanaka,Yuta Matsumura Printed in Japan

ISBN978-4-7980-6899-2 C0055